LA
BIBLE DU YOGA

LA
BIBLE DU YOGA

CINQUIÈME ÉDITION

Christina Brown

Guy**Trédaniel**
éditeur

Titre original :
The Yoga Bible - The definitive guide to yoga postures

Photographie Colin Husband
Modèles Richard James Allen, Simon Borg Olivier, Bianca Machliss
Jasmine Heptonstall, James Sierra, Christina Brown

Traduit de l'anglais par Antonia Leibovici

Copyright © 2003 Godsfield Press
Texte copyright © 2003 Christina Brown

© Guy Trédaniel Éditeur, 2004, 2006, 2008, 2010, 2012
pour la traduction française

ISBN : 978-2-8132-0098-3

Imprimé en Chine

AVERTISSEMENT

Les informations données dans ce livre ne se substituent en aucune façon au traitement médical, ni ne peuvent être utilisées pour le diagnostic. Toute personne présentant un quelconque problème de santé devra consulter un médecin ou un thérapeute qualifié.

Sommaire

Première partie

Introduction

Introduction

Le yoga, c'est l'art de revenir à soi, c'est découvrir ses limites et les élargir, devenir capable de se détendre réellement en restant soi-même, prendre le temps de se rappeler qui on est, souvent oublié dans le tourbillon d'une vie trépidante. Se sentir physiquement déséquilibré est une sensation désagréable. L'impression d'être sur le point de s'effondrer à tout instant est autant dangereuse qu'inconfortable. L'une des raisons de la popularité du yoga est le fait qu'il favorise l'harmonie, l'intégration et la complétude. En apprenant à se centrer dans une posture yoga, on s'exerce aussi à trouver le juste milieu dans d'autres domaines de la vie. En fait, la gestion d'une posture enseigne à mieux traiter les événements de la vie.

Qu'est le yoga ?

Le premier texte traitant du yoga a été rédigé il y a quelque 2 500 ans par Patanjali – les *Yoga-sutra*. Pour lui, le yoga est le *chitta-vrtti-nirohdah*, autrement dit l'arrêt des tourbillons de l'esprit. En ce qui me concerne, le yoga est l'apaisement de l'esprit, définition moderne formulée par l'éminent maître T.K.V. Desikachar. Celui-ci affirme que le yoga vise "[...] à diriger le mental exclusivement vers un objet et à maintenir cette direction sans nulle distraction".

Pour les Occidentaux et les profanes, le yoga est avant tout synonyme de postures physiques. Le nom même vient du mot sanskrit *yuj*, souvent traduit par "unir, joindre, connecter". Toutes ces associations impliquent la réintégration et le rééquilibrage, ou l'aboutissement du moi à un état harmonieux. Parmi d'autres significations de *yuj* on trouve "centrer ses pensées, se concentrer en soi, méditer profondément", ce qui correspond parfaitement à la

La pratique du yoga aide à achever le calme intérieur.

définition du yoga donné par les *Yoga-sutra* précédemment cités.

En fait, le yoga est un état d'esprit. Apaiser le mental est un objectif essentiel, si bien que des pratiques ont été développées dans ce but. Il est virtuellement impossible d'atteindre un calme mental absolu. Par contre, le progrès accompli dans la pratique d'une posture yoga peut être jugé en évaluant l'alignement, l'ampleur de l'étirement et la durée de son maintien. Il est ainsi bien plus facile de se rapporter à quelque chose de tangible – le corps – pour passer ensuite à quelque chose d'intangible – l'immobilité mentale. Durant la pratique du yoga, on se dirige depuis le connu vers l'inconnu en se servant du corps et du souffle. En ouvrant le corps et le mental grâce aux postures yoga et à la respiration, on devient réceptif à l'expérience sereine et profonde du calme intérieur.

On peut se servir des techniques de méditation bouddhiques durant la pratique du yoga.

Alors que l'esprit humain tend à se laisser envahir par des pensées concernant le passé ou l'avenir, le corps humain, lui, n'existe que dans l'instant présent. Mettant l'accent sur l'effort ardu et continu, le Hatha yoga favorise la conscience du corps. Revenir à son corps fait aussi revenir le mental dans le présent. L'inquiétude s'estompe, tout comme les "on doit" et "il faut". Seule la réalité du moment présent existe, même si cet instant est fugace. Voilà le pourquoi du caractère tellement reposant du yoga. À chaque fois qu'on se retrouve dans le moment présent, on abandonne nombre de fardeaux. Bien entendu, ils seront certes repris peu de temps après, mais l'important est que le lâcher prise a été pratiqué. Finalement, on devient capable de diminuer le stress plus souvent et pour des périodes plus longues. De ce point de vue, le yoga est comparable à une formation à la vie. Sa pratique est un extraordinaire outil de transformation.

Les *Yoga-sutra* enseignent que le yoga est formé de huit *membres* – branches du Hatha yoga (voir page 380). Cette pratique inclut des codes de comportement moral, des exercices physiques, des pratiques de respiration, la concentration (la capacité de fixer le mental sur un objet et de l'y maintenir) et la méditation (état de concentration focalisé sur un point unique, voir page 15). En Occident, on a pris l'habitude de considérer *asana*, la posture physique, comme étant le yoga. Mais le yoga est aussi tout ce qui confère un sentiment d'unité, favorise un meilleur contact avec soi-même et aide à se rappeler qui on est – une promenade sur la plage, un bâillement somptueux, une inspiration consciente, etc.

Toute pratique contribuant au centrage est importante, car elle facilite le calme et la concentration. Le déséquilibre constitue une grande source de stress. Si les choses vont mal lorsqu'on est déjà déséquilibré, c'est comme si l'on nageait contre un fort courant. Plus on est loin du rivage, plus y revenir s'avère difficile. Cependant, les distractions et la stimulation sensorielle incitent souvent à tourner le regard hors de soi plutôt que de se concentrer en soi. Le véritable défi de la vie est de réussir à rester en harmonie "avec" soi-même tout en interagissant avec les autres, de réagir aux individus et aux événements comme il convient.

Les récompenses du yoga

La pratique régulière du yoga récompense à moyen et long terme l'entité *corps-esprit* – les aspects physique, psychologique et spirituel de l'individu – et génère une sensation instantanée de bien-être. On se sent mieux dans un corps plus souple que dans un corps contracté. Le corps humain a été conçu pour bouger sans entrave. Dès lors qu'ils intègrent tous les éléments du moi, les pratiquants du yoga ont souvent l'impression d'être plus grands et de se sentir plus spontanés. Ils sont relaxés et à l'aise. Selon la philosophie indienne, toute chose associe trois propriétés essentielles,

La meilleure pratique du yoga est celle qui est intégrée dans votre vie.

les *gunas* : *sattva* (état pur, équilibré), *rajas* (activité, agitation) et *tamas* (inertie, paresse, dépression). La plupart des gens commencent à pratiquer le yoga soit

dans un état hyperactif, soit dans un état quasiment inerte. À la fin de la séance, ils sont généralement arrivés à un bon état *sattvique*, tant mental que physique.

Le yoga confère un sentiment d'expansion sur plusieurs plans. Il permet de redécouvrir un sens intérieur de complétude, souvent

ignoré dans le monde moderne si trépidant. Si on commence à pratiquer le yoga avec un corps agité et un esprit hyperactif qui a du mal à se fixer, les exercices appropriés élimineront les tensions physiques et calmeront tant le mental que les émotions. Si on commence avec une entité corps-esprit amorphe, apathique, les exercices adaptés conféreront de nouveau au corps un sentiment de vivacité, revitaliseront le mental et laisseront une impression de paix. Chaque pratique yoga élève la conscience, la changeant au moment de son exécution. En reprenant ses esprits, on éprouve un grand épanouissement.

Le yoga offre les outils permettant de passer de l'excitation à un état dépourvu d'émotion, de l'affliction à l'apaisement, du mal à l'aise à l'équilibre. Il détend, faisant passer d'une existence introvertie à une interaction d'une qualité exceptionnelle, plus facile à vivre, plus libre. La pratique du yoga est parfaite si elle offre tant la joie que le développement.

Les huit membres du yoga

Les *Yoga-sutra* décrivent les huit membres de cette pratique. Bien qu'actuellement le yoga soit surtout connu grâce au travail du corps dans les *asanas*, ce n'est là qu'une technique parmi d'autres. À mesure de l'expérience acquise, ses autres membres attirent l'attention et sont à explorer.

1. YAMA. La retenue morale qui contrôle les actions, les paroles et les pensées. En tant que tel, le yama a une portée considérable et fait appel à la vigilance du *yogi* (celui qui pratique le yoga).

Les *Yoga-sutra* en citent cinq :

● **Ahimsa.** Ce terme est souvent traduit par "non-violence" ou "non-blessure". Il englobe la compassion ou la considération pour tous les êtres animés, ainsi que le traitement du corps durant la pratique du yoga. Un corps surmené est un corps mal utilisé. Amenez le corps à se plier à vos désirs à force de cajoleries et de persuasion, mais ne lui imposez nulle posture.

● **Satya.** Véracité, précepte incluant le concept de communication appropriée – mener sa vie avec honnêteté quant au comportement, à la pensée et à l'intention. Il est important d'évaluer correctement son état avant d'exécuter une posture difficile – ainsi, ses limites physiques ne seront pas dépassées. Se comporter en accord avec ses convictions signifie qu'un écologiste n'acceptera pas de travailler pour une compagnie pétrolière polluante ou qu'un végétarien ne travaillera pas dans un fast-food.

● **Asteya.** Souvent appelé "non-dérobade", ce précepte concerne le développement d'une vision moins matérialiste de la vie, la maîtrise sur la convoitise, la domination du désir pour des choses qui n'appartiennent pas à soi. Asteya signifie aussi ne pas intimider quelqu'un pour l'obliger à faire ou à donner quelque chose contre sa volonté, comme faire des copies de chansons qui priveront les artistes de leur droit d'auteur.

● **Brahmacharya.** Pour de nombreuses traditions spirituelles ce terme désigne le célibat en tant que moyen d'éloigner les énergies de la sexualité pour les conduire vers la croissance spirituelle. Ce précepte peut aussi être interprété comme un apaisement des actions et de la quête de satisfaction des désirs sensuels. Autrement dit, éviter de se laisser emporter par ses sens, choisir soigneusement ses partenaires sexuels et s'assurer que la sexualité repose plutôt sur l'amour que sur des aventures éphémères. Sur un plan plus profond, ce terme comporte un engagement envers le Divin et la fusion avec Lui.

La pratique du yoga va bien plus loin que les seules postures physiques.

● **Aparigraha.** On peut définir ce terme comme "non-cupidité", puisqu'il encourage à distinguer ses besoins réels des désirs ou des envies. S'accrocher à la vie et aux biens matériels rend plus difficile l'aboutissement à un bonheur durable, car la liste des désirs tend à s'allonger sans cesse. Il vaut mieux mesurer sa réussite en fonction de la personne qu'on est, plutôt que par rapport à ce qu'on possède. Au lieu de désirer davantage, il est important de prendre le temps d'apprécier ce qu'on a déjà : air frais, bons souvenirs, nourriture saine, amis, santé, lectures élevant moralement ou spirituellement.

2. NIYAMA. "Règle" ou "loi", intègre la discipline dans les actions et la conduite, ainsi que dans les attitudes envers soi-même. Patanjali en énumère cinq :

● **Saucha.** "Pureté" ou "propreté". En plus de la propreté physique et de celle de l'environnement immédiat, on parle aussi du régime alimentaire et de la pureté des pensées.

● **Santosha.** Ce précepte de contentement offre l'occasion de s'exercer à se satisfaire de ce qu'on a. Il encourage aussi d'approcher l'âme légère les choses dont on ne dispose pas. Toutefois, même si on se trouve bien de "regarder le bon côté de la vie" et de faire preuve de patience à l'égard d'un état peu enviable, il ne faut pas se servir de ce précepte comme excuse pour ne pas faire l'effort de le changer.

● **Tapas.** Ayant pour racine les verbes signifiant "brûler" ou "cuire", ce précepte encourage le développement d'une forte résolution et d'un enthousiasme ardent pour la pratique et pour la vie. Comme les autres préceptes, il exige discipline, auto-contrôle et persévérance.

● **Swadhyaya.** Ce précepte d'apprentissage personnel conduit à la découverte de soi. *Swadhyaya* englobe la réflexion attentive sur soi et l'apprentissage permanent grâce à l'étude, qu'elle soit ou non dans les règles.

● **Ishvarapranidhana.** Ce précepte accepte l'existence du principe d'omniscience. Il rappelle que cette force supérieure est partout, autour de soi et en soi. Ce savoir confère sens à la vie. Les textes yogiques ne mentionnent nommément aucune divinité – laissée au gré du lecteur. Certains préfèrent honorer un idéal plutôt qu'un dieu.

3. ASANAS. Les postures physiques du Hatha yoga sont tenues en Occident pour être le "yoga" même. Toutefois, dans les *Yoga-sutra*, Patanjali ne mentionne que trois fois les *asanas*. Le but d'une *asana* est de purifier le corps et de le préparer aux longues

heures de méditation nécessaires à l'atteinte du
samadhi. Dans cet état extatique pareil à une transe,
le mental reste concentré sur son objet, sans se
laisser distraire. En devenant un avec l'objet de sa

*En travaillant avec le corps, le
yoga enseigne à mieux contrôler
le mental.*

méditation, le pratiquant fait l'expérience d'une joie et d'une paix indescriptibles.

4. PRANAYAMA. Contrôle de la respiration visant à cultiver la force vitale intérieure
(*prana*). (Voir la section concernant le *Pranayama*, pages 314 à 329.)

5. PRATYAHARA. Retrait des sens. Quand le mental prend le contrôle des sens, les
distractions extérieures s'estompent. Le mental peut se tourner vers l'intérieur et se
concentrer sur les autres membres du yoga.

6. DHARANA. Concentration de l'esprit – la capacité de diriger le mental vers un objet
et de l'y maintenir. *Dharana* ouvre la voie vers les septième et huitième membres,
Dhyana et *Samadhi*.

7. DHYANA. Méditation, où le mental se concentre sur une chose unique.

8. SAMADHI. État illuminé d'intégration avec l'absolu. Dans cet état pareil à une transe, le tournoiement des pensées est neutralisé, le *yogi* acquiert le contrôle du mental et les pensées sont réduites au silence.

Les Asanas

Les *asanas* sont des postures qui rééquilibrent le corps. En offrant une séance d'exercice accompagnée d'un travail intérieur, elles confèrent force à ses zones faibles et assouplissent ses points tendus. Outre qu'elles créent un espace dans le corps physique, elles confèrent un sentiment de grande dimension psychique. En

libérant le corps physique, les muscles, les os, les tendons, les ligaments et les viscères, les *asanas* bâtissent et contrôlent le *prana* – la force vitale des énergies subtiles du corps, plus délicates et plus raffinées que celles du corps physique. À l'exemple de ces énergies subtiles, les *asanas* sont tenues pour purifier et guérir le corps. Le Hatha yoga est une excellente médecine préventive à pratiquer soi-même.

La première chose que les gens me disent lorsqu'ils apprennent que j'enseigne le yoga est : "Je ne suis pas assez souple pour le yoga." Je leur réponds : "C'est pour cela que nous autres le pratiquons !" Ne vous servez

Le yoga accroîtra la souplesse, quels que soient l'âge ou la forme physique.

pas de la raideur du corps comme excuse pour ne jamais pratiquer le yoga. Vous pouvez commencer tel que vous êtes. Ne jugez pas votre pratique en fonction de l'ampleur de vos étirements. Ne vous sentez jamais gêné parce que vous ne pouvez pas maintenir longtemps une posture ou parce que celle-ci n'est pas la parfaite réplique d'une illustration vue dans un livre. Exercez-vous à étendre la prise de conscience à travers votre corps. Plus que le maintien de votre posture, tâchez de rendre votre souffle aisé. Vous ne savez jamais où ce voyage vous conduira.

Ne jugez pas la pratique en fonction de l'ampleur de vos étirements.

J'utilise le terme "limite" pour décrire l'aboutissement à une nouvelle frontière, point entre le confort et la gêne, votre point extrême. Vous constaterez que ce point varie d'un jour à l'autre et que la limite physique est différente de la limite mentale. Adaptez votre pratique pour respecter les deux. Allez lentement lorsque vous approchez de votre limite. Lorsque vous êtes là, votre corps finit par se détendre et s'ouvrir, vous conduisant vers une nouvelle limite. Attendez votre signal intérieur. Ne vous précipitez pas, ce serait manquer de respect. Soyez patient et attendez que votre corps vous permette de pénétrer en lui.

En pratiquant, restez mentalement présent. Permettez à votre mental de s'intégrer à votre travail et aux sensations subtiles de votre corps. Votre pratique doit devenir une sorte de conversation avec le corps. Réfléchissez, soyez respectueux, réagissez correctement.

Comment pratiquer

Les instructions de ce livre concernent la version complète (et la plus difficile) de chaque posture. Gardez cependant à l'esprit qu'il n'y a pas de position "parfaite". Chaque individu doit trouver sa façon personnelle d'effectuer une posture. Chaque entité *corps-esprit* a ses propres besoins, qui varient d'un jour à l'autre, et même d'une minute à l'autre. Ne soyez pas découragé si vous n'arrivez pas à reproduire exactement les postures illustrées. Certaines sont montrées à gauche, d'autres à droite. Toutes les postures asymétriques doivent être effectuées des deux côtés du corps. Débutez avec celle de votre choix. De nombreuses postures sont accompagnées d'un encadré détaillant nombre d'indications :

● CONTEMPLATION. Le point focal pour le regard, une fois la position prise.

● PRÉPARATION. Exercices préparatoires aidant à réaliser la posture complète.

● COMPENSATION. Postures qui compensent les effets de la posture concernée.

● SIMPLIFICATION. Manières de pratiquer qui permettent de gérer la posture plus facilement.

● EFFET. Le sentiment global généré par la posture concernée.

Respiration

Plus que dans la difficulté des postures, l'essence du yoga se trouve dans le souffle. Si vous pouvez respirer, vous pouvez pratiquer le yoga. Efforcez-vous de connaître bien votre souffle, car c'est de lui dont vous aurez le plus besoin. Une bonne respiration rassure, apaise et entretient, outre animer vos postures. La reconnexion avec votre respiration naturelle suscitera des sentiments de pureté, de légèreté et de clarté. Un souffle retenu émousse la prise de conscience, génère de la tension et bloque le sentiment de liberté que le yoga confère à l'entité *corps-esprit*. La respiration consciente avec chaque posture garde le mental alerte et fait de la pratique une exploration au lieu d'une routine. De plus, elle garde le mental dans le moment présent. Les distractions sont réduites une fois que le mental est contrôlé ; il devient plus facile d'aboutir à l'essence du yoga – la maîtrise du mental et la reconnexion avec soi-même.

À mesure que votre respiration devient plus consciente, elle se transforme en outil efficace pour déterminer votre aptitude à une posture. Quand la respiration est régulière, votre pratique des *asanas* se rapproche de la perfection. Le souffle doit être arrondi et régulier. S'il devient irrégulier, saccadé ou forcé, l'intensité de votre pratique doit être diminuée. Intégrez la Respiration glottique (voir page 322) dans votre pratique. Elle entretient le feu interne et réchauffe l'organisme, son bruit régulier et agréable offre un point de concentration à l'esprit et l'empêche de vagabonder. Si ce type de respiration devient difficile à utiliser, ou si vous avez l'impression qu'elle génère du stress dans l'organisme, revenez à une respiration régulière normale. Si votre souffle devient froid, si vous oubliez l'expiration, utilisez le souffle circulaire – une respiration fluide qui ne laisse

Observez en douceur votre souffle et apprenez à bien connaître votre respiration.

pas une longue pause entre l'inspiration et l'expiration ou entre l'expiration et l'inspiration. Durant mes cours, je rappelle souvent qu'il ne faut pas retenir le souffle, bien que ce soit là un réflexe naturel, qui apparaît souvent lorsque les élèves tentent une posture nouvelle et bizarre.

On respire rarement par la bouche pendant la pratique du yoga. La respiration par le nez filtre et réchauffe l'air avant que celui-ci pénètre dans les poumons. Laissez votre respiration devenir intuitive. Toutefois, en règle générale, inspirez lorsque vous ouvrez ou déroulez le corps, quand vous quittez une position, quand vous levez les bras, quand vous pivotez la partie supérieure du corps ou quand vous élargissez la poitrine en vous penchant en arrière. La plupart des gens trouvent que l'expiration se produit naturellement lorsqu'ils reculent, abaissent les bras ou les jambes, se penchent en avant ou latéralement ou font pivoter le bas du dos.

Dans cet ouvrage, le nombre de respirations indiqué sert de guide quant à la durée du maintien de certaines positions. Comme le yoga est très personnalisé, ce n'est là qu'une suggestion. Chacun devra déterminer la durée d'une posture un jour donné.

La fréquence de la pratique

Le secret est la régularité ! Il vaut mieux pratiquer un peu et souvent que pendant longtemps de manière irrégulière. Un bon point de départ est une fois par semaine – trois séances hebdomadaires apporteront au corps des changements assez visibles. Si vous adoptez aussi la philosophie du yoga, vous constaterez que sa pratique s'élargit pour englober votre mode de vie.

Pour certains, la pratique du yoga se résume à exprimer des doutes quant à savoir si oui ou non on est capable d'assumer telle ou telle posture. Ce n'est pas vraiment positif ! Il est préférable de passer plus de temps sur les postures préparatoires. La tendance naturelle est de prendre en grippe les postures qu'on n'arrive pas à effectuer. Pour parer à cette attitude, choisissez des positions adaptées à vos capacités et exercez-vous à faire reculer vos limites. La pratique ne rend pas toujours "parfait", mais rend assurément meilleur. Tout comme pour les autres domaines de la vie, si vous ne pratiquez pas quelque chose, vous avez peu de chances d'améliorer vos performances.

Courage. Le yoga n'est pas une compétition olympique. L'aspect merveilleux du yoga est que vous devenez encore meilleur avec l'âge. On continue à s'améliorer physiquement (et mentalement) pendant des décennies. Rester mentalement conscient et respecter ses limites au quotidien préviennent bien des blessures. Découvrir sa limite à l'égard d'une posture et attendre avec patience d'en trouver la suivante, élargissent les possibilités de votre pratique. À partir de là, force, souplesse, confiance et concentration se développent constamment. N'oubliez pas que le yoga est un état d'esprit. Le temps vous apportera la sagesse à mesure que la pratique conséquente augmentera votre capacité à apaiser l'esprit.

L'intensité de la pratique

D'intenses sensations apparaîtront au cours de votre pratique. Celles éprouvées lors d'un fort étirement ne sont pas forcément désagréables, mais ne forcez jamais lors de l'exécution d'une posture. L'inconfort correspond à un sentiment d'effort positif. La douleur, elle, est plus aiguë qu'une simple gêne et ne comporte aucun élément agréable. Alors que l'inconfort génère un "mal positif", la douleur est une sensation négative et contre-productive. La douleur ressentie en prenant une posture signifie soit que vous avez dépassé votre limite en bougeant trop vite, soit que votre alignement est incorrect. La douleur musculaire ou articulaire peut conduire à une blessure ; ne l'ignorez jamais. Quittez la posture et consultez votre maître.

Souvenez-vous que le yoga cherche à vous rapprocher de votre moi. Il vise à éliminer la souffrance. Une douleur ou une blessure signale que vous vous éloignez de votre moi. Si votre pratique ne s'accompagne pas de la joie de vivre, c'est qu'elle ne vous convient pas.

La difficulté de la posture est accrue en levant les bras et en regardant vers le haut.

Comment simplifier votre pratique

● Choisissez des postures suffisamment faciles, appropriées à vos capacités physiques. Les postures de base sont marquées du symbole ▲.

● Des exercices préparatoires sont mentionnés pour chaque posture. Respectez les instructions. Ignorez les postures plus avancées, qui augmentent la difficulté.

● Ne levez pas les bras pour effectuer les postures. Fléchissez les genoux en vous penchant en avant ou en passant d'une position en flexion à une position debout.

● N'oubliez pas qu'une pratique régulière est la clé de la réussite.

● Reposez-vous suffisamment entre les postures.

● Bougez lentement et respirez calmement. La réaction habituelle lors d'une position physique difficile est de retenir son souffle. Pour y parer, pratiquez une respiration circulaire ou travaillez avec un souffle régulier, plaisant, réchauffant.

● Maintenez moins de temps les postures. Essayez de prendre et de quitter plusieurs fois une position sur

Engager tous les muscles dans une posture augmente son degré de difficulté.

le rythme de votre respiration, au lieu de la maintenir longtemps.

● Durant les postures, relaxez vos muscles plutôt que de les bander. Gardez le visage détendu, le regard paisible, sans serrer les dents.

Comment introduire plus de difficulté dans votre pratique

● Au lieu de faire agir seulement les muscles nécessaires pour maintenir la posture, faites travailler aussi les autres muscles.

● Faites un effort pour affirmer les muscles des épaules, des genoux, des poignets et des chevilles, sans les durcir excessivement. Rentrez les muscles du bas du ventre pour créer un Verrou abdominal (page 338). Intégrez le Verrou racine (page 340) et, si nécessaire, le Verrou de la gorge (page 340).

● Suivez les instructions qui augmenteront le degré de difficulté de la position. Parcourez mentalement votre corps. Visez à prendre conscience de chaque partie du corps, depuis la pointe des pieds au sommet de la tête. Intégrez entièrement le mental dans la pratique et dans les sensations corporelles.

● Créez une fluidité entre les postures, de façon à passer de l'une à l'autre sur seulement une ou deux respirations. Utilisez la Respiration glottique (page 322) pendant toute la durée de votre séance. Essayez les postures plus difficiles mais ne forcez pas excessivement et ne dépassez pas vos limites.

Préparation à la pratique

●Portez des vêtements confortables et pratiquez dans un endroit chauffé. Les pieds nus confèrent plus de liberté. Un tapis de yoga sera un bon investissement. En le déroulant dans une pièce ordinaire, vous transformez celle-ci en espace de pratique.

● L'estomac vide convient mieux à la pratique du yoga. Laissez passer quatre heures après un repas copieux, au moins une heure après avoir mangé un fruit. Hydratez-vous avant de commencer la séance.

● Quand vous commencez le yoga, décidez combien de temps vous pouvez consacrer à sa pratique. Ne préparez pas votre échec en choisissant un programme trop chargé. En tant que processus de rappel de votre identité, le yoga agit mieux si vous le pratiquez à petite échelle, mais souvent. Vous constaterez qu'une séance quotidienne de quinze minutes est plus profitable qu'une séance hebdomadaire de deux heures. Trois séances par semaine permettront à votre corps de s'ouvrir et de devenir vif.

● Ne sous-estimez jamais les mini-expériences de yoga que vous créez dans votre vie quotidienne. Essayez de vous pencher en arrière sur le dossier du siège sur lequel vous êtes assis au bureau, créez une posture de la Montagne (page 46) à l'arrêt du bus, faites durer votre expiration au milieu d'un bouchon de circulation, expirez à fond pour assouplir la peau de votre visage quand vous êtes stressé, pratiquez les rotations de la

*Les femmes enceintes peuvent participer à
des cours adaptés à leur état.*

cheville lors d'un voyage en avion, fermez les yeux
pour un moment de réflexion tranquille entre
deux coups de fil. Rappelez-vous que "peu et
souvent" convient mieux au mental et à l'âme. Les
rappels constants de se reconnecter avec son moi
ne doivent jamais être sous-estimés. D'abord, cela
devient une habitude, puis un mode de vie, puis ce
que vous êtes vraiment.

● Faites en sorte que votre séance de Hatha yoga
devienne la pratique d'être juste là où vous êtes
en ce moment. Travaillez dans un espace dégagé et fermez mentalement la porte aux
distractions. Quand on commence en pensant savoir où son corps doit arriver, la
pratique a un air de non-acceptation, puisque le corps ne se conforme pas au mental
qui insiste que les choses doivent être différentes de ce qu'elles sont. Avec une telle
attitude, la pratique est moins agréable. Ne pratiquez pas pour le temps à venir,
pratiquez pour le présent. Au lieu de vous pousser en "serrant les dents", prenez plaisir
à ce que vous êtes capable de faire en ce moment. En tant que pratique centrée sur le
corps, le Hatha yoga est une expérience sensuelle. Profitez-en.

Structurer votre pratique

● Créez un programme équilibré en incluant un exercice de chacune des catégories
suivantes : une pratique fluide qui développe la prise de conscience de la respiration,
une posture debout, un étirement latéral, une flexion en avant, une flexion en arrière,
une torsion, une tonification abdominale, un équilibre, une inversion, une autre
flexion en avant et une relaxation finale. Le *Pranayama* et la méditation constituent
une fin parfaite.

● Si le temps manque, pratiquez moins de postures en étant pleinement conscient. Restez mentalement réceptif. Une curiosité enfantine est un fabuleux atout dans la vie.

États particuliers

● Pendant la menstruation, évitez les postures inversées, les torsions fortes et les flexions en arrière (page 354). Une pratique en douceur est préférable.

● Ne pratiquez pas le yoga durant les trois premiers mois de grossesse. Pour d'autres états de santé, consulter la section *Yoga pour la guérison* (page 358). Pour une pratique personnalisée, demandez conseil à un maître expérimenté.

Perspectives personnelles dans le yoga

Je pratique le yoga depuis 1989 et j'ai écrit trois autres livres traitant de ce sujet. Je suis diplômée du Sivananda Vedanta Centre d'Inde et du Sydney Yoga Centre.

J'ai été témoin de nombre d'effets bénéfiques du yoga, certains peu tangibles et difficiles à mesurer, d'autres plus évidents. Pour moi, les postures physiques qui font bouger, s'étirer et s'assouplir confèrent aisance au corps vieillissant ou malade. En tant que naturopathe et conseillère, je m'intéresse aux personnes utilisant le yoga comme thérapie pour les problèmes respiratoires, la douleur, les troubles nerveux ou autres handicaps physiques.

Le yoga est bien plus que la capacité de se tordre comme un nœud de marin. Pour moi, les postures physiques augmentent la circulation des énergies subtiles. En libérant le corps, vous libérez le mental. La flexibilité du corps favorise la souplesse mentale facilitant la vie. Pour cette approche de la vie, vous gérez facilement ses difficultés. J'enseigne le yoga comme une métaphore pour la vie. C'est ainsi que je le vois.

La
pratique

Introduction

La pratique du yoga développe la conscience des postures normales du corps. Avec le temps, vous arriverez à corriger les positions imparfaites. Grâce à une pratique harmonieuse, les zones faibles deviendront plus fortes, les zones contractées plus souples. La vitalité et l'énergie seront restaurées et vous vous détendrez plus facilement au fur et à mesure de l'épanouissement de l'entité *corps-esprit*. Le yoga améliore la coordination, la flexibilité, la vigueur, l'équilibre, la clarté mentale, la concentration et la santé. Bref, il met en valeur la vie.

Pratiques préliminaires

Alors que l'activité physique est indispensable à notre équilibre et à notre développement harmonieux, un grand nombre de personnes mènent une vie sédentaire au point de manquer totalement de souplesse. Pour se préparer aux postures qu'il doit maintenir un certain temps durant la séance de yoga, le corps doit d'abord être échauffé. Au fil de l'échauffement, des parties du corps généralement ignorées sont mentalement passées en revue. Quand une articulation

peut passer par toute sa gamme
de mouvement, les tendons
et les ligaments qui
l'entourent travaillent aussi. La
circulation des fluides est accrue autour de l'articulation
et à l'intérieur de celle-ci. L'apport plus considérable en
oxygène, en substances nutritives et en *prana* bénéficie à
la santé de l'ensemble de cette zone et empêche la
détérioration de l'articulation et du cartilage. Sur un plan
purement énergétique, ces exercices débloquent le
corps, en évitant toute interruption temporaire du
courant de *prana*.

Le Chat

Viralasana Malgré son apparente facilité, cette posture développe la concentration et la prise de conscience – chacun des espaces intervertébraux est passé mentalement en revue pour être mobilisé. Le Chat contribue aussi à la mise en place d'un rythme respiratoire, car les mouvements du corps sont accordés au souffle.

1 En partant d'une position à quatre pattes, inspirez en relevant le coccyx et la tête et cambrez le dos. De par sa structure, le bas du dos s'abaisse facilement, bien que sa partie supérieure ait plus de mal à se creuser. Restez mentalement présent et concentrez-vous sur la courbure thoracique de la colonne vertébrale. Lorsque tous les muscles associés à la colonne vertébrale travaillent, surveillez l'entrée en action de ceux de la partie moyenne et supérieure du dos induite par

l'avancement du sternum. Gardez les épaules au même niveau et les coudes aussi droits que possible. Le visage levé vers le ciel, maintenez la nuque souple.

Appuyez les mains sur le plancher et percevez la peau du dos s'étirer quand vous accentuez la courbure de la colonne vertébrale.

2 Arrondissez le dos sur chaque expiration. Écartez bien les omoplates en détendant les muscles contractés du cou et de la partie supérieure du dos. Durant cette partie de l'exercice, essayez de pousser les vertèbres lombaires vers le ciel. Rentrez le coccyx. Rentrez le menton.

3 Bougez rythmiquement. Arquez le dos sur l'expiration et cambrez-vous sur l'inspiration. Lorsque vous avez saisi le rythme, arquez le dos en commençant l'inspiration et achevez le mouvement à mesure que le souffle diminue.

Séquence du Soleil

Suryasana Après le Chat (page 32), qui déroule les articulations vertébrales en avant et en arrière, ces deux exercices-ci les font bouger d'un côté sur l'autre et tourner. Comme son nom l'implique, c'est une pratique d'assouplissement en douceur, à effectuer le matin pour accueillir le soleil.

1 Écartez les pieds d'une distance supérieure à la largeur des hanches. Les orteils pointent en avant. Inspirez et levez les bras au-dessus de la tête, paumes se faisant face. Restez ainsi pendant quelques respirations, en déroulant la colonne vertébrale. Rentrez le coccyx et l'abdomen. Travaillez sur les épaules en tirant les bras en arrière sur chaque inspiration, puis en les faisant revenir à la position verticale sur chaque expiration. En détendant consciemment les épaules, faites monter le chakra du cœur (situé dans la poitrine) sur chaque inspiration.

1

2 Entrelacez les doigts et tirez les paumes vers l'extérieur. Sur l'inspiration, penchez-vous vers la droite. Poussez la base de la main gauche vers l'extérieur, tout en appuyant le pied droit sur le plancher. Courbez-vous un peu plus vers la droite et faites ressortir vos côtes gauches. Le haut du bras n'avance pas, le corps reste aligné. Percevez la flexion latérale complète de chaque articulation vertébrale. Inspirez et revenez au centre, puis expirez vers la gauche. Vos hanches sont centrées au-dessus de vos pieds ou vont dans la direction opposée à celle vers laquelle vous vous penchez. Continuez à expirer vers le bas et à inspirer vers le haut. Sur le dernier cycle, les jambes deviennent fermes. Maintenez chaque flexion latérale durant quelques respirations.

3 Expirez depuis le centre et pivotez vers la droite pour regarder derrière vous. Poussez la base de la paume gauche vers l'extérieur. Les hanches se trouvent au même niveau – avancez la droite pour accroître la force du tronc. Ne fléchissez pas la jambe gauche. Rentrez le coccyx et percevez la modification que ce mouvement confère à l'étirement du bas du dos. Inspirez en revenant au point neutre, puis expirez de l'autre côté. Passez de cinq à dix fois d'un côté sur l'autre, avant de vous attarder un peu plus sur chacun. Maintenez les jambes fermes et augmentez la torsion ascendante depuis la base de la colonne vertébrale.

Assouplissement du cou

Le cou est un point d'accumulation des tensions. En plus d'éliminer le stress et les tensions, ces exercices d'assouplissement du cou conviennent après la pratique du Poirier (page 296), de la Chandelle (page 286), de la Charrue (page 292) et de leurs variantes.

1 Asseyez-vous bien droit et penchez la tête de façon à reposer l'oreille sur l'épaule gauche. Dans cette position, laissez tomber lourdement la tête pour que le côté droit du cou s'allonge. Après environ 30 secondes, étirez latéralement le bout des doigts de la main droite. Expérimentez avec la position de la tête et du bras jusqu'à trouver le "juste" équilibre. Avancez légèrement la main droite. Penchez davantage le visage vers le plancher. Après un moment, tombez la tête en avant. Au lieu de lever le menton pour relever la tête, inspirez puis remontez et reculez l'occiput. Répétez du côté opposé.

2 Asseyez-vous, bras entourant les genoux. Rentrez d'abord le menton en étirant la nuque Ⓐ . Tombez les épaules et percevez l'étirement. Cambrez le cou en étirant le menton autant que possible vers les avant-bras. Restez mentalement présent – cambrez le cou – comme pour pratiquer le Chat (page 32) au niveau du cou. Revenez à la première étape en rentrant le menton et en creusant le dos, tout en visualisant le cou s'arquer Ⓑ . Cet assouplissement du cou peut être pratiqué à quatre pattes, dans la posture du Chien le museau vers le sol (page 162) et dans les Flexions en avant debout ou assis (pages 66, 74, 108, 122, 144, 146).

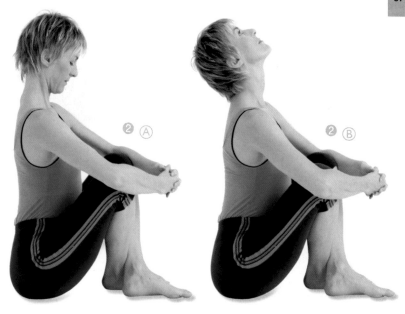

❷ Ⓐ   ❷ Ⓑ

Assouplissements des poignets et des avant-bras

Lorsqu'on tente de maintenir la posture du Chien museau vers le sol (page 162) et les Équilibres des bras, les poignets sont un point faible. Utilisez ces exercices en tant que postures inversées (positions compensant l'étirement) pour alléger la tension engendrée par un poids porté dans les bras ou de longues heures à taper sur un clavier.

1 Mettez-vous à quatre pattes, la face interne des poignets orientée vers l'extérieur, doigts pointant vers les genoux. En appuyant les paumes sur le sol, penchez-vous en arrière pour étirer la face interne des avant-bras. Maintenez et respirez. Relâchez et inversez la posture : le dos des mains sur le sol, les doigts toujours dirigés vers les genoux. Penchez-vous en arrière une fois de plus pour étirer la face latérale des avant-bras. Cette étape est similaire à la Flexion assouplissant les avant-bras (page 70).

2 À partir d'une position assise ou debout, étirez latéralement les bras. Placez les mains dans la Mudra du menton (page 334) en joignant le

②

3 Commencez avec les bras tendus latéralement, paumes vers le haut. Dirigez les doigts vers le bas et vers le corps, comme si vous vouliez vous chatouiller les côtes. Poussez la base des mains vers l'extérieur. Redressez les épaules et faites-les avancer pour amplifier l'étirement.

bout des pouces et des index. Tendez les autres doigts vers le sol. Faites pivoter les épaules vers l'intérieur, les paumes et les doigts en arrière, puis vers le haut (le creux du coude est dirigé vers le bas). Tournez ensuite les bras et les épaules dans l'autre sens pour que les doigts soient dirigés vers l'avant, puis vers le haut (le creux du coude est dirigé vers le haut). Pour parcourir toute votre gamme de mouvement, soit maintenez pendant quelques respirations, soit passez lentement par ces positions.

4 Tournez les paumes pour que les doigts pointant vers le haut s'étirent vers les oreilles. Poussez la base des mains vers l'extérieur. En maintenant et en prenant quelques respirations, tombez les épaules et roulez-les en avant et en arrière, pour trouver le meilleur étirement.

③

Salutation au Soleil A

Surya Namaskar A Avec de la pratique, les mouvements deviennent gracieux et fluides. Chaque mouvement est effectué sur l'inspiration ou sur l'expiration, en utilisant la Respiration glottique (page 322).

inspirez

expirez

❶

Prière agenouillée
Recentrez-vous.
Devenez conscient
de votre respiration

Dos cambré, agenouillé
Poussez les cuisses en
avant et relevez-vous à
partir du bas du dos.

❽

inspirez

L'Enfant en extension
Tendez-vous en arrière en vous
appuyant sur les mains pour
allonger les hanches et le coccyx.

❼

expirez

Dos cambré, agenouillé

Rentrez le coccyx, remontez le chakra du cœur et étirez les bras. Penchez-vous en arrière seulement tant que la sensation est agréable.

expirez

②

L'Enfant en extension

Levez haut les fesses, pour que l'étirement soit maximal à partir des paumes jusqu'aux hanches.

③

inspirez

Le Chat

Dès que vos genoux touchent le plancher, arquez le dos autant que possible.

④

expirez

Le Chat

Quand les genoux touchent le plancher, arrondissez le dos autant que possible.

⑤

Le Chien museau vers le sol

Rentrez les orteils et étirez les hanches, en les éloignant des mains.

inspirez

⑥

Salutation au Soleil B

Surya Namaskar B Une fois que vous maîtrisez les mouvements, cette séquence devient une danse parfaite.

expirez

inspirez

expir

⑬

La Montagne élarg

Flexion debout

⑫

Marchez ou sautez, les pieds entre les mains.

inspirez

⑪

Flexion

Regardez en avant

⑩

expirez et maintenez pendant trois respirations

Le Chien

museau vers le ciel

⑨

expirez

⑧

Le Chien

museau vers le sol

inspirez

La Montagne

inspirez

expirez

La Montagne
élargie

Flexion debout

inspirez

Flexion
Regardez en avant,
les paumes sur
le plancher

Marchez ou sautez,
les pieds revenant à
la posture de la
Planche

expirez

Le Crocodile

La Planche

Postures debout

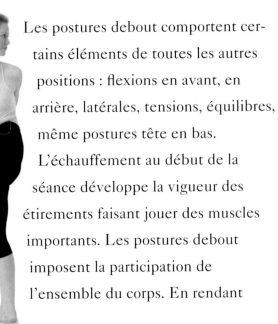

Les postures debout comportent certains éléments de toutes les autres positions : flexions en avant, en arrière, latérales, tensions, équilibres, même postures tête en bas. L'échauffement au début de la séance développe la vigueur des étirements faisant jouer des muscles importants. Les postures debout imposent la participation de l'ensemble du corps. En rendant

celui-ci plus
fort et plus souple,
ces postures deviennent une
force d'intégration.
L'étirement maximal ne peut
pas être atteint sans une
bonne maîtrise de ces
postures. Les positions debout enseignent à s'ancrer
fermement. C'est seulement alors qu'on peut aller vers
l'extérieur, s'épanouir pour profiter de son potentiel
plénier.

La Montagne

Tadasana Cette posture incite à se tenir droit, avec la majestueuse fermeté d'une montagne. C'est la position debout de base, de laquelle on part et à laquelle on revient lorsqu'on explore d'autres aspects plus dynamiques du yoga.

1 Tenez-vous debout, pieds joints – si le bas du dos ou les genoux sont raides, écartez un peu les pieds.

2 Fermez les yeux pendant un moment et concentrez-vous sur la plante des pieds. Oscillez doucement en avant sur les orteils et en arrière sur les talons – reposez-vous au point de parfait équilibre.

3 Répartissez le poids de votre corps de façon égale sur vos pieds, des talons vers les orteils, du bord intérieur vers le bord extérieur. Entrez en contact avec le plancher aussi totalement que possible.

4 Ouvrez les yeux et fixez du regard l'infini.

5 Fléchissez doucement les genoux pour activer les jambes. Redressez lentement celles-ci, en positionnant les genoux au-dessus des chevilles et les hanches au-dessus des genoux.

6 Portez votre attention sur la base de la colonne vertébrale.

7 Reculez légèrement le sommet des cuisses, en ouvrant la zone de l'articulation coxo-fémorale. Rentrez le pubis pour que les fesses ressortent un peu. Équilibrez ensuite ce mouvement en rentrant légèrement le coccyx pour remettre les fesses dans l'alignement.

8 Éloignez doucement la poitrine à partir du ventre, en percevant le déroulement de la colonne vertébrale jusqu'au sommet de la tête. Laissez les épaules s'assouplir et descendre, en ouvrant le haut de la poitrine. Les bras sont flasques et pendent le long du corps, paumes tournées vers les cuisses.

9 Rentrez légèrement le menton, en allongeant la nuque. Relaxez la poitrine.

10 Appuyez fermement les pieds sur le plancher et notez le flux d'énergie de même intensité qui monte à travers la colonne vertébrale. Reposez-vous un instant dans l'immobilité verticale de votre être.

L'Arbre

Vrksasana Telles les racines d'un arbre, les pieds et les jambes permettent à la partie supérieure du corps de rester verticale, avec force et grâce. L'état d'esprit est mis en évidence par les postures. La concentration est nécessaire pour maintenir l'équilibre lorsque les pensées vagabondent.

1 Tenez-vous dans la posture de la Montagne (page 46) et concentrez-vous sur les pieds. Transférez peu à peu le poids du corps du pied gauche sur le pied droit. Visualisez la plante du pied droit enracinée dans le sol.

2 En durcissant la jambe droite comme le tronc d'un arbre, fléchissez le genou gauche et placez la plante du pied gauche contre la face interne de la cuisse droite, orteils dirigés vers le plancher.

3 Amenez l'attention sur le genou gauche, que vous tirez doucement en arrière pour ouvrir la cuisse gauche.

4 Tirez le coccyx vers le bas et rentrez doucement le pubis et le bas-ventre en déroulant la colonne vertébrale vers le haut.

5 Joignez les paumes sur la poitrine. Si votre équilibre est bon, inspirez, les bras juste au-dessus du sommet de la tête.

Tirez les coudes fléchis en arrière pour dilater la poitrine. Tirez simultanément le genou plié en arrière, pour élargir le bassin.

6 Regardez fixement devant vous et respirez doucement et régulièrement du sommet de la tête à la plante des pieds.

7 Pour quitter la posture, abaissez les bras latéralement jusqu'à hauteur des épaules. Tendez le pied droit en avant et posez-le sur le plancher. Répétez de l'autre côté.

Le Guerrier 2

Virabhadrasana II Cette posture glorifie les qualités exceptionnelles de l'individu. Elle connecte au pouvoir intégral des pieds qui, associé à l'intention, incite à l'action. C'est une excellente position pour rétablir la sensation de force. En la prenant, lancez en silence "Ha !" à votre adversaire ou problème imaginaire, le mettant au défi.

1 Tenez-vous dans la posture de la Montagne (page 46). Écartez largement les pieds. Pivotez le pied gauche à 90° pour que le talon soit à l'opposé de la voûte plantaire du pied droit. Tournez celui-ci vers l'intérieur d'environ 15°.

2 Alignez les hanches en les avançant, rentrez le coccyx. Déroulez la colonne vertébrale vers le haut et ouvrez la poitrine. Le tronc reste penché en avant, comme si vous assumiez la position de la Montagne à partir des hanches.

3 Levez latéralement les bras. Tombez les épaules et étirez-vous

jusqu'au bout des doigts. Tournez la tête pour poser le regard sur le médius gauche. Si vos bras levés se fatiguent, concentrez-vous sur l'inspiration. Imaginez que vous respirez à travers le bout des doigts et que le souffle monte par les bras dans le corps ou que des ballons sont attachés à vos poignets, remontant les bras sans effort de votre part.

INFORMATION

CONTEMPLATION. Bout de l'index.

PRÉPARATION. La Montagne.

COMPENSATION. Flexion longue reposante.

SIMPLIFICATION. a) Fléchissez un peu moins le genou avancé.
b) Gardez les mains sur les hanches.

EFFET. Fortifiant, focalisant.

4 En expirant, fléchissez le genou gauche pour que la cuisse soit parallèle au plancher. Le genou doit être juste à l'aplomb de la cheville (pas devant elle) pour que vous aperceviez uniquement le gros orteil.

5 Concentrez-vous en fixant le médius du regard. Gardez à l'esprit qu'on oublie facilement ce qu'on ne voit pas. En même temps, appuyez fortement sur le bord externe du pied droit, pour garder la face postérieure de la jambe forte et bien droite.

6 En partant de la base solide des jambes et des pieds, triomphez de la gravité. Percevez la force de votre opposition, puis laissez-vous aller.

7 Pour quitter cette posture, inspirez en redressant la jambe droite et tournez les pieds vers l'extérieur. Répétez de l'autre côté.

Étirement latéral debout

Parsvakonasana Cette posture engage les muscles de la cuisse et active la face interne de la jambe depuis l'aine jusqu'à la cheville. La plupart des mouvements quotidiens se font en avant et en arrière, ceux latéraux sont bien plus rares. Utilisez cette posture pour favoriser la pensée latérale.

1 Tenez-vous dans la posture de la Montagne (page 46), pieds largement écartés. Posez les mains sur les hanches, que vous avancez pour les aligner.

2 Fléchissez le genou droit à 90° pour que la cuisse soit parallèle au plancher. Assurez-vous que le genou est directement au-dessus de la cheville (pas devant).

3 Expirez et penchez le torse latéralement, pour placer les côtes droites au-dessus de la cuisse droite. Placez la paume

droite sur le plancher, à côté du petit orteil. Appuyez la face externe du genou droit contre le bras droit et tournez l'abdomen et la poitrine vers le ciel. Le genou appuyé contre le bras maintient l'écartement maximal des hanches.

4 Rétablissez votre base solide en renforçant le travail des jambes. Appuyez fortement sur le bord externe du pied gauche. Reculez la fesse droite vers le talon gauche. Même quand le genou droit reste très fléchi, laissez le bassin se déplacer librement et placez le minimum de poids possible sur la main droite.

INFORMATION

CONTEMPLATION. La main supérieure.

PRÉPARATION. Le Guerrier 2, le Triangle.

COMPENSATION. La Montagne, Flexion debout.

SIMPLIFICATION. a) Au lieu de placer la main sur le sol, posez le coude sur le sommet du genou. **b)** Gardez le dos de la main gauche sur la base de la colonne vertébrale.

EFFET. Ancrant, ouvrant.

5 Tendez le bras, sa partie supérieure au-dessus de l'oreille gauche, paume vers le sol. Poussez ensuite les côtes gauches pour qu'elles s'arquent vers le ciel et étirent la partie gauche du corps. Répétez de l'autre côté.

Le Triangle

Trikonasana Cette position fortifie les jambes, mobilise les hanches, étire le torse et ouvre la poitrine pour accroître la capacité respiratoire.

1 Écartez largement les pieds à partir de la posture de la Montagne (page 46). Alignez les hanches en les avançant et en les ouvrant. Faites descendre le sacrum.

2 Tournez la jambe droite à 90° vers l'extérieur et la gauche à 15° vers l'intérieur. Levez les bras à hauteur des épaules, paumes vers le bas.

3 Inspirez, déroulez-vous du sommet de la tête jusqu'au bout des doigts.

4 Expirez et élargissez la partie supérieure du corps vers la droite. Gardez la hanche droite sur le même plan que les épaules. Placez la main droite aussi bas sur la jambe droite que vous pouvez le faire sans effort. Les personnes très souples peuvent atteindre le plancher en passant par-derrière le mollet.

CONTEMPLATION. Le pouce de la main levée.

PRÉPARATION. La Montagne, la Porte, Étirement latéral debout.

Compensation. Le Chien museau vers le sol, Flexion longue reposante.

SIMPLIFICATION. a) La jambe avancée est fléchie, la main la plus basse placée sur la cuisse ou le genou. **b)** Placez le dos de la main gauche sur le sacrum. Pivotez l'épaule gauche en arrière et ouvrez la hanche gauche vers le haut, en rentrant les fesses. **c)** Si vous avez mal au cou, regardez droit devant vous ou vers le sol .

EFFET. Vivifiant.

5 Amenez les côtes en une position parallèle au sol, pour créer le troisième côté du Triangle.

6 Levez la main gauche vers le plafond, paume tournée en avant, visage levé.

7 Pivotez le nombril vers le haut. Dilatez la poitrine et percevez la torsion en spirale allant de la hanche gauche jusqu'à l'auriculaire gauche, à travers la colonne vertébrale. Lorsque vous respirez dans cette posture-là, étirez-vous sur l'inspiration, accentuez la torsion sur l'expiration.

8 La partie postérieure du corps se trouve sur un seul plan. Imaginez que l'occiput, les épaules et les fesses s'appuient contre un mur de verre lorsque vous avancez les hanches.

9 Pour quitter cette position, inspirez en laissant la partie supérieure du corps revenir à la verticale. Répétez de l'autre côté.

⑦

La Demi-lune

Ardha Chandrasana Cette posture d'équilibre debout exige force et grâce. Servez-vous de votre parfaite concentration mentale pour atteindre cet équilibre, et maintenez-le pour quitter la position de manière contrôlée.

1 Commencez dans la posture du Triangle (page 54) sur le côté droit Ⓐ. Placez la main gauche sur le sacrum. Fléchissez le genou droit et placez le bout des doigts de la main droite sur le plancher, à environ deux largeurs de main devant le pied droit Ⓑ. Ce faisant, glissez le pied gauche vers le talon droit, pour que le poids du corps passe peu à peu sur le pied droit.

2 Soufflez et stabilisez-vous. Expirez et redressez la jambe droite, tout en levant la gauche jusqu'à ce qu'elle soit parallèle au plancher.

❶ Ⓐ

Tenez-vous fermement sur la jambe droite. Laissez le bras gauche pendre le long de votre flanc, puis tournez l'épaule, la poitrine et la hanche gauche vers le plafond. Étirez le bras gauche vers le ciel et regardez par-dessus l'épaule.

3 Pour quitter la position, abaissez la jambe gauche vers le sol en redressant la droite et revenez à la posture du Triangle.

INFORMATION

CONTEMPLATION. La main supérieure.

PRÉPARATION. Le Triangle, l'Arbre, les Jambes tendues contre le mur.

COMPENSATION. La Montagne.

SIMPLIFICATION. a) Fixez du regard le gros orteil droit. Posez légèrement le gros orteil gauche sur le plancher pour maintenir votre équilibre.

b) Commencez avec les talons positionnés à 10 cm du mur contre lequel vous appuyez les fesses et les épaules dans cette posture.

EFFET. Centrant.

La Chaise

Utkatasana La posture accroupie, très naturelle, rappelle le lien avec la terre. Cette posture fait travailler les muscles des jambes et des bras, stimule le cœur et le diaphragme. Décidez d'avance du nombre de cycles respiratoires pendant lesquels vous maintiendrez la posture.

1 Tenez-vous dans la posture de la Montagne (page 46), les pieds écartés de la largeur des hanches. Inspirez, levez les bras au-dessus de la tête et déroulez la colonne vertébrale.

2 Expirez et penchez-vous en avant dans la Flexion debout (page 68), en rapprochant la poitrine des cuisses et les mains du plancher. Inspirez, fléchissez les genoux pour que les cuisses soient parallèles au plancher.

3 Appuyez sur la plante des pieds, levez les bras et avancez la poitrine, en l'éloignant des cuisses. Continuez à étirer à partir des doigts, jusqu'à ce que les bras, tout comme les cuisses, soient parallèles au plancher. Regardez droit

devant. Respirez régulièrement pendant quatre souffles. Levez les fesses vers le plafond (en inclinant le bassin en avant) tout en appuyant sur les talons. Vous percevrez le fort étirement des cuisses.

4 Expirez et levez les bras au-dessus de la tête, en redressant davantage la colonne. Penchez ensuite le bassin en arrière jusqu'à ce que le bas du dos semble s'aplatir. Rentrez le bas-ventre.

INFORMATION

CONTEMPLATION. Le Troisième œil ou vers le haut, vers l'infini.

PRÉPARATION. La Guirlande, le Guerrier 1.

COMPENSATION. Flexion debout, Flexion longue reposante.

SIMPLIFICATION. a) Si vous avez des problèmes, fléchissez moins les genoux. **b)** Pratiquez avec le bras ou la jambe avant de combiner leur action. **c)** Exercez-vous à prendre et à quitter la posture sans heurts avant de la maintenir davantage.

EFFET. Énergisant.

5 Relevez la partie supérieure du corps depuis les hanches. Restez assis bien droit. Reportez le poids du corps légèrement en arrière pour que les genoux ne dépassent pas trop les chevilles – ce qui engage encore plus les muscles des cuisses. Joignez les paumes, si ce mouvement ne tire pas trop sur le cou. Maintenez pendant quatre respirations. Quittez la position sur l'inspiration, en laissant les bras vous ramener à la posture de la Montagne.

Le Guerrier 1

Virabhadrasana I Cette posture fortifie le lien avec l'énergie ancrante de la terre. Cette variante met l'accent sur l'établissement d'une base ferme dans les jambes pendant que la poitrine se lève et s'élargit. Excellente pour l'intégration des moitiés inférieure et supérieure du corps.

1 Tenez-vous dans la posture de la Montagne (page 46). Inspirez, écartez largement les pieds et posez les mains sur les hanches. Tournez la jambe et le pied droit vers l'extérieur à 90°, de sorte que le talon croise la voûte plantaire gauche. Tournez le pied et la jambe gauche vers l'intérieur d'environ 45°.

2 Tournez la poitrine vers la droite et redressez le bassin en avançant la hanche gauche. Sur l'inspiration, levez les bras au-dessus de la tête, en joignant les paumes.

3 Expirez en fléchissant le genou gauche, en vous affaissant sur la cuisse gauche et le coccyx. Le genou fléchi à

CONTEMPLATION. Pouces levés.

PRÉPARATION. La Montagne, la Chaise, le Guerrier 2.

COMPENSATION. Flexion d'une jambe, Flexion longue reposante, la Montagne.

SIMPLIFICATION. a) Regardez droit devant. **b)** Ne joignez pas les paumes au-dessus de la tête. **c)** Posez les mains sur les hanches. **d)** Fléchissez moins le genou avancé. **e)** La jambe avancée est droite. **f)** Levez le talon qui est en arrière.

EFFET. Fortifiant, focalisant.

90° sera positionné directement au-dessus de la cheville.

4 Concentrez toutes vos pensées sur ce que vous voyez devant vous. Devenez conscient de la partie postérieure du corps. Répartissez également votre poids entre la jambe avancée et la jambe en arrière. Appuyez sur le talon gauche et percevez l'étirement dans la face postérieure de la jambe droite.

5 Laissez tomber le coccyx pour ouvrir la face antérieure des hanches, le bassin et la cuisse droite. Ce mouvement créera un espace dans la zone lombaire et favorisera son allongement. Penchez la tête en arrière et levez le regard. Une fois de plus, votre esprit englobe l'invisible. Bougez pour accroître la souplesse de votre dos depuis le niveau de la taille. Élevez-vous à travers le centre du dos et des bras, tout en maintenant la connexion avec les jambes et les pieds.

6 Inspirez en redressant la jambe gauche. Abaissez les bras en avan-çant le pied droit sur l'expiration. Revenez à la posture de la Montagne. Répétez de l'autre côté.

⑤

Le Guerrier 3

Virabhadrasana III Cette posture fortifie les jambes et les muscles abdominaux. Comme toutes les postures d'équilibre, elle favorise la concentration mentale. Le regard fixe vous rend plus stable. Générez mentalement une ligne d'énergie traversant toute la longueur de la partie postérieure du corps. Utilisez-la pour étirer le pied de la jambe levée depuis le talon jusqu'au bout des orteils.

1 À partir de la position du Guerrier 1 (page 60) Ⓐ , déroulez la colonne en vous étirant. En expirant Ⓑ , penchez le torse en travers du haut de la cuisse droite, pour que le dos et les bras soient parallèles au plancher. Rentrez le menton et étirez la nuque.

❶ Ⓐ   ❶ Ⓑ

2 En inspirant, levez progressivement le pied gauche jusqu'à ce que la jambe soit complètement tendue derrière vous. Tournez la face externe de la cuisse gauche vers le bas, pour que les hanches restent au même niveau et le sacrum s'aplatisse.

3 Redressez la jambe droite, en appuyant fortement sur le gros orteil et en élargissant la plante du pied sur le plancher. Maintenez pendant cinq respirations, en étendant en même temps l'énergie de la colonne vers l'avant, à travers le bout des doigts, et vers l'arrière, à travers la jambe levée. Éprouvez la force et la beauté équilibrée de cette posture.

INFORMATION

CONTEMPLATION. Au-delà des mains.

PRÉPARATION. La Demi-lune, l'Arbre, Équilibre debout en demi-arc.

COMPENSATION. La Flexion debout, la Montagne.

SIMPLIFICATION. a) Ne levez pas la jambe, gardez le gros orteil du pied arrière sur le plancher. **b)** Gardez les bras tendus en arrière, mains proches des hanches. **c)** Maintenez votre équilibre contre un mur.

EFFET. Focalisant.

4 Pour quitter cette position, expirez en reposant la jambe sur le plancher. Inspirez à mesure que les bras et la poitrine s'élèvent dans la posture du Guerrier 1. Redressez la jambe droite et abaissez les bras sur l'expiration, puis reposez le pied gauche pour prendre la posture de la Montagne (page 46). Répétez de l'autre côté.

La Demi-lune inversée

Parivrtta Ardhachandrasana Cet équilibre debout fortifie les jambes. La rotation du torse tonifie les organes abdominaux. Animez la posture depuis le centre de l'abdomen, en envoyant des lignes d'énergie à travers chaque membre.

1 À partir de la posture de la Flexion debout (page 68), placez la main droite sur le plancher, devant le pied gauche. Main gauche sur le sacrum, fléchissez le genou gauche et reculez le pied droit pour que le poids de votre corps passe progressivement sur la jambe gauche. Respirez et stabilisez-vous grâce à la plante du pied gauche.

3 Pour quitter la posture, descendez la main gauche vers le plancher, en fléchissant le genou gauche et en abaissant avec grâce le pied droit. Revenez à la posture de la Montagne (page 46). Répétez de l'autre côté.

②

2 Regardez le plancher tout en faisant monter la jambe droite. Redressez la jambe gauche. La main droite maintient l'équilibre. Ouvrez la poitrine vers la gauche et levez le bras gauche. Dirigez les orteils du pied droit vers le sol et étirez-vous en arrière à travers le talon droit. Pivotez davantage le tronc vers la gauche. Si vous êtes bien équilibré, levez la tête et regardez le bout du pouce gauche. Respirez profondément et régulièrement.

INFORMATION

CONTEMPLATION. Vers l'infini.

PRÉPARATION. La Demi-lune, le Triangle inversé, le Guerrier 3.

COMPENSATION. La Montagne, Flexion debout.

SIMPLIFICATION. a) Regardez vers le bas. **b)** Gardez sur le plancher le gros orteil du pied se trouvant en arrière. Fléchissez la jambe portante. **c)** Pratiquez parallèlement à un mur contre lequel s'appuie la main.

EFFET. Compensateur.

Flexion
les jambes écartées

Prasarita Padottanasana Dans le paysage
urbain, les structures linéaires dans lesquelles nous vivons empêchent parfois nos
mouvements d'atteindre leur ampleur
maximale. Écarter les jambes autant que
possible est extrêmement agréable et
incarne l'être que vous êtes dans le monde
extérieur.

1 Tenez-vous dans la posture
de la Montagne (page 46).
Écartez largement les pieds, les
orteils légèrement tournés vers
l'intérieur. Appuyez bien la plante
des pieds sur le plancher.
Répartissez également le poids du
corps entre le talon et l'éminence
métatarsienne de chaque pied.
Posez les mains sur les hanches.
Inspirez, rentrez le coccyx et
déroulez la colonne vertébrale
jusqu'au sommet de la tête.

2 En expirant, faites saillir le coccyx de
manière à pencher en avant la partie
supérieure du corps. Placez les mains sur le
plancher, écartées de la largeur des
épaules, poignets alignés aux voûtes
plantaires. Étirez la nuque et penchez la
tête en laissant son poids tirer sur la
colonne vertébrale pour l'allonger.

3 Appuyez sur le bord externe des pieds
en élevant les fesses vers le plafond,
assouplissant et allongeant ainsi les muscles
longs de la partie postérieure des cuisses.
Avancez les hanches pour aligner les talons,

les creux poplités (arrière des genoux) et les fesses. Continuez à dérouler la colonne vertébrale, en éloignant du ventre le sommet des côtes sur l'inspiration et en vous penchant davantage sur l'expiration. Redressez les épaules, mais faites travailler les

---

bras pour poser l'occiput sur le plancher. Si vous y parvenez, augmentez la difficulté de la posture en rapprochant les pieds.

4 Si vous désirez y inclure un étirement de l'épaule à partir d'une position verticale, entrelacez les doigts derrière le dos en rapprochant si possible la base des paumes. Tendez les bras en comprimant les omoplates et ouvrez la partie supérieure de la poitrine. Inspirez et étirez la colonne vertébrale. Expirez en pivotant depuis les hanches et pliez-vous en avant. Éloignez les épaules des oreilles en les faisant rouler en même temps que vous comprimez les omoplates vers la colonne vertébrale et dirigez les doigts vers le plancher.

INFORMATION

CONTEMPLATION. Le bout du nez.

PRÉPARATION. Flexion debout, Flexion d'une jambe, la Chandelle du débutant jambes écartées, l'Arc (pour les bras).

COMPENSATION. Le Chameau, Équilibre debout en demi-arc, la Chaise.

SIMPLIFICATION. a) Fléchissez les genoux. **b)** Joignez les pieds.

EFFET. Expansif.

Flexion debout

Uttanasana La flexion en avant depuis les hanches étire fortement les muscles longs de la partie postérieure des cuisses et les vertèbres lombaires. Le maintien de la tête penchée, même pendant quelques instants, apporte du sang frais au cerveau et confère un sentiment de bien-être.

1 Tenez-vous dans la position de la Montagne (page 46). Inspirez en ouvrant largement les bras et joignez les paumes au-dessus de la tête.

INFORMATION

CONTEMPLATION. Yeux fermés ou fixant les genoux.

PRÉPARATION. La Tête au genou, Long étirement des jambes.

COMPENSATION. La Sauterelle, le Cobra.

SIMPLIFICATION. a) Écartez les pieds de la largeur des hanches, fléchissez les genoux pour reposer la poitrine sur les cuisses et laissez pendre les bras.

EFFET. Recentrant.

1

2 Pivotez au niveau des hanches pour vous pencher en avant, les bras flasques. Si votre dos est fort, gardez les jambes droites en vous penchant. Posez les mains sur le plancher à côté de vos pieds. Si vous n'y arrivez pas, fléchissez un peu les genoux, que vous laissez s'étirer en douceur sur chaque respiration.

3 Si vous touchez aisément le plancher, reculez les mains et appuyez-les davantage sur le plancher. Allongez la nuque, rentrez légèrement le menton. Maintenez pendant quelques respirations longues, visualisez la colonne vertébrale comme une chute d'eau tombant par-dessus le bord du bassin à mesure que la gravité fait descendre doucement la tête vers le sol.

4 Durcissez le bas-ventre et avancez les hanches pour une inspiration montante. En ramenant le tronc en position verticale, maintenez l'élongation de la colonne vertébrale.

Flexion assouplissant les avant-bras

Padahastasana Cette posture étire la face interne des avant-bras et confère un parfait équilibre à toute position où les paumes soutiennent le poids du corps. Dès lors que la colonne vertébrale est étirée au maximum, les muscles longs de la partie postérieure des cuisses s'allongent davantage.

1 Tenez-vous dans la posture de la Montagne (page 46). Posez les mains sur les hanches, inspirez et étirez la colonne vertébrale.

2 Expirez et, en maintenant la colonne allongée, levez le coccyx et penchez-vous en avant depuis les hanches, en posant le bout des doigts sur le plancher, près des pieds. Maintenez la position ❶ pendant quelques respirations ❸

en échauffant les muscles longs de la partie postérieure des cuisses.

3 Inspirez, levez la tête, regardez devant vous et éloignez la poitrine des cuisses. Maintenez le bout des doigts en contact avec le plancher et utilisez-les comme des ancres. Remontez les côtes et aplatissez le dos. Reculez les fesses et déroulez en même

temps la colonne vertébrale jusqu'au sommet de la tête.

4 Fléchissez les genoux et relevez la pointe des pieds. Placez tour à tour vos mains sous les pieds, doigts dirigés vers les orteils, face interne des poignets en ligne avec le sommet des orteils.

5 Sur l'expiration, penchez-vous une fois de plus en avant, en rapprochant le front des genoux. Fléchissez les coudes et ramenez-les au niveau des tibias ou un peu plus bas pour maximiser la détente des avant-bras. Faites descendre les omoplates en tombant les épaules et en détendant le cou. Relevez les fesses en appuyant davantage sur les

⑤

INFORMATION

CONTEMPLATION. Le bout du nez.

PRÉPARATION. Flexion debout, toute flexion en avant.

COMPENSATION. La Montagne, Équilibre debout en demi-arc, toute position d'équilibre sur la main.

SIMPLIFICATION. a) Pliez les genoux. b) Tenez-vous devant un mur en y appuyant vos fesses, les talons distants de 30 cm.

EFFET. Apaisant.

orteils. Répartissez également le poids du corps sur les pieds.

6 Sur l'inspiration, activez le verrou abdominal (page 338) en rentrant le bas du ventre. Sur l'expiration, descendez les côtes flottantes vers les genoux et ouvrez la face postérieure des jambes.

7 Placez les mains sur les hanches. Poussez celles-ci en avant pour vous redresser, tout en raffermissant le bas-ventre, et revenez à la position de la Montagne.

Jambes tendues contre le mur

Urdhva Prasarita Eka Padasana Cette posture étire la partie postérieure des jambes et améliore la circulation dans les organes abdominaux. Posture inversée, elle exige de la souplesse, de la concentration et un bon ancrage.

1 Tenez-vous dans la posture de la Montagne (page 46). Inspirez et, en appuyant fermement la plante des pieds sur le plancher, sentez la colonne vertébrale se dérouler de l'extrémité du coccyx jusqu'au sommet de la tête.

2 Expirez et penchez-vous en avant depuis les hanches, en gardant la colonne étirée et en posant les paumes sur le plancher en dessous des épaules, genoux fléchis si nécessaire.

③

3 Faites passer lentement le poids du corps sur le pied gauche. Gardez la paume droite ou seulement les doigts sur le plancher et posez la main gauche sur le mollet gauche, l'effleurant de l'avant-bras, coude pointant derrière le genou. Appuyez la

face avant de vos côtes sur la cuisse gauche.
Reculez légèrement le pied droit, en gardant
le gros orteil sur le plancher pour maintenir
l'équilibre.

4 En inspirant, levez la
jambe droite autant que
vous le pouvez. Rapprochez
la cage thoracique aussi
près que possible de la
cuisse gauche.
Redressez les
jambes et

INFORMATION

CONTEMPLATION. Le bout du nez.

PRÉPARATION. Flexion debout
(ou toute flexion avant), la Demi-
lune inversée, le Chien museau
vers le sol.

COMPENSATION. La Montagne,
le Demi-arc debout.

SIMPLIFICATION. a) Si votre
équilibre est instable, le gros orteil
gauche touche légèrement le sol
derrière vous. **b)** Pliez la jambe
portante. **c)** Gardez les mains sur le
plancher, en avant du pied droit.

EFFET. Centrant.

étirez les talons en les écartant. Ramenez le
front plus près du tibia gauche. Rapprochez
la main droite des orteils gauches. Maintenez pendant cinq respirations, en éloignant
davantage la cuisse sur chaque expiration

5 En replaçant en douceur le pied droit
derrière vous sur le plancher, avancez
les pieds à l'unisson et posez les mains sur le
plancher en dessous des épaules. En partant
de cette flexion en avant, répétez de l'autre
côté.

4

Flexion d'une jambe

Parsvottanasana Cette position est excellente pour ouvrir les articulations des hanches et des épaules. Elle étire fortement la partie postérieure des jambes et comprime en douceur les organes abdominaux.

1 Dans la position de la Montagne (page 46), rentrez le coccyx, ouvrez les hanches et tirez en douceur le bas du ventre vers la colonne vertébrale. Éloignez les côtes de l'épigastre et laissez s'élargir toute la partie antérieure du corps. Détendez les épaules et allongez la nuque lorsque le sommet de la tête se lève vers le plafond.

2 Portez les bras sur les côtés et pivotez les épaules en avant, de sorte que les pouces pointent vers le bas.

3 Ramenez les mains derrière le dos et joignez les paumes (dans la position de la prière – *namaste*) sur le milieu du dos, derrière le cœur. Appuyez le tranchant des mains contre la colonne vertébrale en faisant reculer la face interne des coudes et en ouvrant la face avant des épaules. Prenez une inspiration profonde et profitez de l'élargissement de la poitrine.

4 Reculez le pied gauche. Pour maintenir facilement l'équilibre, écartez les pieds de la largeur des hanches ou mettez la voûte plantaire du pied gauche et le talon droit sur une ligne. Tournez un peu vers l'extérieur le bord du pied gauche. Redressez les hanches.

5 Sur l'expiration, pivotez depuis les hanches pour vous pencher en avant. Gardez le menton rentré, la nuque allongée, le front au niveau du genou droit. Amenez le nombril vers la cuisse gauche, le front allant au-delà du genou droit. Les jambes doivent être fortes et droites. Bandez les muscles de la cuisse et appuyez le bord externe du pied gauche sur le plancher. Maintenez pendant

⑤

INFORMATION

CONTEMPLATION. Le bout du nez.

PRÉPARATION. Flexion debout, la Tête au genou, la Vache (bras).

COMPENSATION. La Montagne, Équilibre debout en demi-arc, l'Étirement de l'est, le Pont soutenu.

SIMPLIFICATION. a) Placez les mains sur les hanches. **b)** Tenez les coudes derrière le dos. **c)** Fléchissez le genou avancé. **d)** Penchez-vous en avant, menton rentré, jusqu'à ce que la colonne vertébrale soit parallèle au plancher.

EFFET. Libérateur.

plusieurs respirations. Sur chaque inspiration, étirez la colonne en gardant les hanches redressées. Sur chaque expiration, accentuez la flexion en avant.

6 Inspirez pour ramener la partie supérieure du corps en position verticale. Avancez le pied gauche dans la position de la Montagne. Répétez de l'autre côté.

Équilibre du cygne sur une jambe

Eka Pada Hamsa Parsvottanasana

Cette variante de la Flexion d'une jambe ajoute à la complexité de la posture la difficulté de l'équilibre. N'oubliez pas que l'équilibre est intrinsèquement lié à la concentration mentale – stabilisez-vous pour conférer à cette posture la grâce d'un cygne.

1 Pratiquez la Flexion d'une jambe (page 74). Complètement penché en avant de sorte que le torse soit au-dessus de la jambe avancée, rapprochez les coudes pour ouvrir les épaules. Joignez la base des pouces. Si votre dos est fort et si vous voulez tenter une variante plus difficile de cette séquence, entrelacez les doigts derrière la tête comme sur l'illustration. Maintenez pendant cinq respirations.

2 Lorsque vous vous êtes penché en avant aussi loin que vous le pouvez, transférez plus de poids sur le pied avancé et levez la jambe arrière, qui stabilisera la position. Ancrez-vous à travers la jambe de support et levez l'autre vers le ciel. Laissez les hanches bien intégrer la posture. Maintenez pendant cinq respirations régulières.

INFORMATION

CONTEMPLATION. Vers le sol ou vers l'infini.

PRÉPARATION. La Tête au genou, Flexion d'une jambe, Flexion debout, Jambes tendues contre le mur.

COMPENSATION. 3e étape de la séquence, la Montagne, Équilibre debout en demi-arc.

SIMPLIFICATION. a) Fixez un point. **b)** Gardez les coudes derrière le dos ou étirez les bras en arrière, doigts dépassant les hanches. **c)** Gardez le pied arrière sur le plancher. **d)** Maintenez moins de temps.

EFFET. Focalisant.

3 Pliez la jambe de support et relevez le torse, pour que la poitrine et les épaules se positionnent plus haut que les hanches. Cambrez le dos et maintenez la poitrine surélevée pour faire travailler les muscles le long de la colonne. C'est la posture sans soutien du Cygne qui équilibre le dos après la Flexion debout. Maintenez pendant cinq respirations.

4 Ramenez le pied levé à côté du pied de support, en redressant le torse dans la position de la Montagne (page 46). Répétez de l'autre côté.

Le Triangle inversé

Parivrtta Trikonasana Penchez-vous en avant et, dans cette position, effectuez une forte torsion. Utilisez cette posture pour pratiquer l'ancrage à travers les pieds en tant que base pour une extension complète. Plus vous vous penchez en avant et vous vous tournez, plus la position devient difficile.

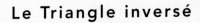

1 Tenez-vous dans la posture de la Montagne (page 46). Écartez largement les pieds. Tournez le pied droit vers l'extérieur pour que le talon pointe vers la voûte plantaire gauche. Dirigez les orteils du pied gauche vers le pied droit. Redressez les hanches, rentrez le coccyx et distendez la colonne vers le sommet de la tête. Inspirez, levez les bras à hauteur des épaules et ouvrez la poitrine.

2 En expirant, amenez la poitrine vers la jambe droite et placez la main gauche sur le plancher, à l'extérieur du pied droit. Continuez à élever la partie supérieure du corps, en tournant les côtes gauches vers la cuisse gauche. Levez la main droite vers le plafond, en l'étirant jusqu'au bout des doigts, paume en avant.

3 Tournez la tête et levez le regard vers la main droite, en maintenant l'occiput en ligne avec la colonne et en allongeant la nuque. Poussez la fesse droite en arrière et vers le haut, tout en gardant le sacrum au même niveau. Appuyez fortement sur le bord extérieur du pied qui est en arrière.

4 Étirez le côté droit de la taille en écartant la hanche de l'aisselle. En inspirant, créez un espace dans la colonne, qui se distend en même temps en arrière à travers les fesses et en avant à travers le sommet de la tête. Percevez l'élargissement de la poitrine.

5 En expirant, tirez en douceur les muscles abdominaux vers la colonne vertébrale et accentuez la torsion montante. Maintenez pendant cinq respirations. Inspirez et revenez à la position en inversant le processus. Répétez de l'autre côté.

INFORMATION

CONTEMPLATION. La main supérieure.

COMPENSATION. La Chaise, la Montagne.

PRÉPARATION. Flexion d'une jambe, Flexion debout, la Chandelle du débutant.

SIMPLIFICATION. a) Fléchissez le genou avancé. **b)** Placez la main inférieure près du sol, sur le tibia ou le côté du gros orteil. **c)** Placez la main supérieure sur le sacrum. **d)** Regardez le plancher ou devant vous au lieu de regarder vers le haut. **e)** Le rapprochement des pieds facilite l'équilibre.

EFFET. Compensateur.

L'Aigle

Garudasana Cette posture d'équilibre debout fortifie les chevilles et est excellente pour évacuer la tension des épaules. Les postures d'équilibre offrent un sentiment d'assurance et de solidité. Elles sont particulièrement bénéfiques quand vous vous sentez mentalement stressé.

1 Tenez-vous dans la posture de la Montagne (page 46). Accordez quelques instants à la plante des pieds pour établir un contact complet avec le plancher. Fléchissez bien le genou droit en transférant progressivement le poids du corps sur le pied droit.

2 Levez la jambe gauche, passez-la par-dessus le genou droit, le pied passant autour du mollet. Pour y parvenir, votre jambe de support doit être fléchie.

3 Abaissez un peu les fesses pour que le genou droit fléchisse davantage. Rentrez le coccyx et étirez la colonne vertébrale pour que la partie supérieure du corps soit bien verticale. Rentrez le menton, en gardant la nuque allongée.

4 Inspirez et tendez les bras en avant à hauteur des épaules. Croisez le bras droit sur le gauche, puis passez les

avant-bras l'un autour de l'autre, de sorte que les paumes se rejoignent. Levez les coudes à hauteur des épaules en éloignant les mains du visage. Détendez les épaules et tombez les omoplates.

5 Inspirez dans l'espace situé derrière le cœur. Après six respirations, inspirez pour relâcher les bras et les jambes et revenez à la position de la Montagne. Répétez de l'autre côté.

6 Si vous n'êtes pas prêt pour la position des jambes, essayez de placer la face externe de la cheville gauche sur la cuisse droite, juste au-dessus du genou.

⑥

INFORMATION

CONTEMPLATION. Les mains.

PRÉPARATION. La Montagne sur la pointe des pieds, Demi-lotus en équilibre sur les orteils, le Triangle inversé, le Chien museau vers le sol, la Vache.

COMPENSATION. Flexion les jambes écartées doigts entrelacés, le Chat.

SIMPLIFICATION. a) Croisez la jambe gauche sur la droite et reposez ses orteils contre la face externe de la cheville droite si vous ne pouvez pas passer le pied gauche derrière la jambe droite. **b)** Pratiquez le dos contre un mur. **c)** Pratiquez séparément les positions des bras et des jambes.

EFFET. Focalisant.

Laissez celui-ci aller de côté et fléchissez davantage la jambe de support – une position pratiquement accroupie. Si vos paumes ne se touchent pas, serrez les poings et placez les poignets l'un devant l'autre, comme montré ici.

Étirement inversé sur le côté

Parivrtta Parsvakonasana Cette torsion, qui exige un haut degré de souplesse, est très ancrante. Elle comprime fortement les organes abdominaux. Ce massage favorise la digestion et améliore l'élimination intestinale.

1 À partir d'une position agenouillée, avancez la jambe droite. Placez la main gauche sur l'extérieur de son genou et la main droite sur la hanche. Maintenez pendant quelques respirations, en laissant la colonne vertébrale se dérouler vers le haut. Faites ensuite pivoter le genou avec la main – le genou résiste.

2 Rentrez une fois de plus le bas-ventre en relevant le torse et tendez la main gauche vers le plancher, près du petit orteil droit. Le genou droit est proche de l'aisselle. La poitrine est déplacée davantage sur le côté en appuyant l'un contre l'autre le bras gauche et la jambe droite. La main droite sur le sacrum, recroquevillez les orteils du pied placé en arrière et levez le genou du plancher. Étirez bien à travers le talon gauche à mesure que le creux poplité monte. Regardez par-dessus l'épaule droite.

bas. Quand la torsion est stabilisée, tournez la tête pour fixer le ciel au-delà de l'aisselle.

4 Allongez la nuque et gardez l'occiput en ligne avec la colonne vertébrale. Levez un peu la hanche gauche.

3 Tournez le talon gauche vers l'intérieur et appuyez-le sur le sol, tout comme le bord externe du pied. Tendez le bras droit au-dessus de la tête, paume vers le

5 Maintenez la torsion pendant quelques respirations. Sur chaque inspiration, étirez-vous davantage depuis le bout des doigts de la main levée jusqu'au bord externe du pied arrière. Sur chaque expiration, tirez les muscles abdominaux vers la colonne. Ouvrez la poitrine vers le haut pour accentuer la torsion. Inspirez à partir de cette posture et répétez de l'autre côté.

INFORMATION

CONTEMPLATION. Le bout des doigts ou droit vers le ciel.

PRÉPARATION. Le Triangle inversé, la Demi-lune inversée, tout mouvement en avant.

COMPENSATION. Flexion les jambes écartées, le Chien museau vers le sol.

SIMPLIFICATION. a) Effectuez la première et la seconde étape. **b)** Le coude gauche (ou l'aisselle) va vers la face extérieure du genou droit, paumes en position de prière, pouces sur le sternum. **c)** Placez la main inférieure du côté du gros orteil du pied avancé.

EFFET. Énergisant.

Séquence d'étirements sur le côté

Nirlamba Parsvakonasana Cet étirement latéral debout fortifie les cuisses, outre dilater la poitrine et les poumons. Il accroît aussi la gamme de mouvements des épaules. C'est une véritable danse entre extension et stabilité – s'étirer au maximum sans s'affaisser.

1 Écartez largement les jambes. Pivotez le pied gauche de 90° vers l'extérieur et le pied droit de quelque 15° vers l'intérieur. Fléchissez le genou gauche à angle droit. Tendez les bras latéralement et déployez-vous depuis les côtes sur l'expiration. Posez la main gauche sur le plancher, près du gros orteil, pour passer à la position de l'Étirement latéral debout (page 52).

2 Le dos de la main droite est posé à la base de la colonne vertébrale. Inspirez et étirez les côtes gauches le long de la face interne de la cuisse gauche. Relevez la poitrine et tirez l'épaule droite vers le bas et en arrière, pour ouvrir la face antérieure du corps. Rentrez la fesse gauche pour ramener sur un seul plan la partie postérieure du corps, depuis le talon droit jusqu'à l'occiput.

3

3 Tournez vers l'intérieur l'épaule gauche, en pliant le coude pour que la main se mette à bouger en dessous de la jambe gauche. Montez la main gauche sur le bas du dos de sorte qu'elle attrape le poignet droit. Sur l'expiration, accentuez la torsion de la poitrine vers le plafond. Appuyez le coude gauche contre le genou, qui le repousse avec la même force. Accentuez davantage cette rotation en éloignant le poignet droit du genou gauche, comme si vous tentiez de redresser les coudes. Tournez la tête pour regarder le ciel. Maintenez pendant quelques respirations. Sur chaque souffle, concentrez-vous sur les diverses parties de l'étirement.

④

4 Relâchez un peu votre prise pour entrelacer légèrement les doigts recourbés. Regardez le plancher. Avancez le pied arrière et équilibrez-vous sur le gros orteil. Si possible, levez la jambe arrière dans les airs. Redressez-vous en étirant le talon autant que possible. La jambe de support doit rester bien droite. Étirez la plante des pieds en éloignant ceux-ci l'un de l'autre. Maintenez pendant cinq souffles. Revenez à la première étape, puis inspirez en remontant le torse, pour répéter de l'autre côté.

INFORMATION

CONTEMPLATION. Première étape – le ciel. Seconde étape – le plancher.

PRÉPARATION. Le Guerrier 2, Étirement latéral debout, la Demi-lune, Torsion du Sage 1.

COMPENSATION. Flexion les jambes écartées, Flexion longue reposante, la Montagne.

SIMPLIFICATION. a) Ramenez le coude gauche sur le sommet du genou gauche. b) Passez l'avant-bras droit derrière le dos et placez les doigts sur le pli gauche de l'aine avant de poser la main gauche sur le sol. c) Touchez légèrement le sol du pied arrière pour développer l'équilibre.

EFFET. Focalisant.

La Guirlande sur une jambe

Eka Pada Malasana Cette posture difficile fait travailler les muscles abdominaux, agit sur les organes et aide à ouvrir les épaules. Cette variante debout et en équilibre des postures assises soutenues exige une concentration mentale plus intense.

1 Tenez-vous dans la posture de la Montagne (page 46). Transférez le poids du corps sur le pied gauche et fléchissez le genou droit vers la poitrine. En le serrant sur la poitrine, rétablissez votre équilibre et étirement initial.

2 Tendez le bras droit au-delà de la jambe et placez la face interne du genou droit sous l'aisselle. Tournez le bras à partir de l'épaule et passez sa face

interne autour de la face externe du mollet droit. Ramenez le dos de la main droite derrière la hanche droite pour bloquer la jambe.

3 Relevez la poitrine et déroulez la colonne vertébrale en tendant le bras gauche latéralement, paume vers le bas. Sur l'expiration suivante, tournez la partie supérieure du corps vers la gauche et passez le bras gauche

derrière la taille. Agrippez le poignet gauche de la main droite.

4 Prenez cinq respirations, en vous tenant bien droit. Aidez l'ouverture des épaules et de la poitrine en écartant les mains comme si vous vouliez redresser les coudes. Étirez les orteils du pied levé. Relâchez de façon contrôlée.

5 Pour la variante avec torsion, la posture de la Guirlande retournée sur une jambe, serrez une fois de plus le genou droit sur la poitrine. Inspirez, faites monter le bras gauche et, en vous tournant

depuis le bas-ventre, poussez fortement le tronc vers la droite. Pliez le coude gauche et ramenez l'arrière de l'épaule gauche vers la face externe du genou droit. Tournez le bras gauche vers l'intérieur, coude pointant vers le haut. Puis entourez le genou de vos bras, en ramenant la main gauche près de la hanche gauche. Une fois le genou bloqué, passez le bras droit autour de lui pour agripper le poignet gauche. Tournez la tête pour regarder derrière vous. Accentuez la position en vous étirant plus. Redressez bien la jambe portante, ainsi que les coudes. Étirez les orteils du pied droit.

INFORMATION

CONTEMPLATION. Première étape, droit devant. Seconde étape, loin sur le côté.

PRÉPARATION. Demi-torsion spinale assis, Flexion du Sage A, Flexion du Sage C, le Nœud coulant.

COMPENSATION. La Chaise, Flexion longue reposante, la Montagne.

SIMPLIFICATION. a) Ramenez le genou sur la poitrine **b)** Utilisez une ceinture pour rapprocher les mains. **c)** Pratiquez assis.

EFFET. Focalisant.

Demi-lotus en équilibre sur les orteils

Padangustha Padma Utkatasana Cette position se concentre sur le cœur à mesure qu'on se tasse sur la jambe portante et qu'on laisse la hanche de la jambe fléchie s'ouvrir doucement sur la respiration. Cet exercice redresse les chevilles, confère flexibilité aux hanches, développe l'équilibre et la clarté mentale.

1 Tenez-vous dans la posture de la Montagne (page 46). Reposez le talon gauche sur le haut de la cuisse droite, en fléchissant légèrement la jambe de support. Poussez le genou gauche vers le plancher pour ouvrir la hanche droite. Tombez le coccyx et étirez la colonne vertébrale.

2 Sur l'inspiration, levez les bras au-dessus la tête. Sur l'expiration, ramenez les mains en position de prière et placez-les devant le chakra du cœur. Fléchissez la jambe droite, penchez-vous davantage en avant et faites monter le chakra du cœur en vous

accroupissant un peu plus. Gardez la colonne vertébrale déployée, coccyx rentré. La partie supérieure du corps bien qu'un peu inclinée en avant, reste toujours bien droite. Fixez du regard vos doigts, en tentant d'adoucir et d'ouvrir le cœur. Si vous le voulez, placez les coudes sur le tibia.

3 Redressez encore plus la colonne vertébrale et fléchissez davantage le genou de support en levant le talon gauche et en vous accroupissant sur une jambe. La

INFORMATION

CONTEMPLATION. Le bout du nez.

PRÉPARATION. Étirement bloqué en demi-lotus, la Chaise, l'Arbre, l'Aigle.

COMPENSATION. La Montagne, Flexion debout, Jambes tendues contre le mur, Équilibre debout en demi-arc.

SIMPLIFICATION. a) Restez à la première étape. **b)** Reposez le pied en posture du lotus plus près du genou. **c)** La main maintient le pied levé.

EFFET. Focalisant.

main droite est entre les fesses. Placez le bout des doigts sur le plancher pour vous aider, si nécessaire, lorsque vous vous équilibrez sur la partie avant du pied. Remettez les mains en position de prière et prenez cinq respirations régulières.

4 Soyez prudent en quittant cette position. Inspirez et revenez à la posture debout. Relâchez de façon contrôlée la jambe en posture du lotus et revenez à la position de la Montagne. Recentrez-vous, puis répétez de l'autre côté.

Étirement bloqué en demi-lotus

Ardha Baddha Padmottanasana Cette position masse les organes abdominaux et améliore le fonctionnement du gros intestin. Souvenez-vous que la tension dans les hanches stresse les genoux. Pour ouvrir les hanches, référez-vous aux postures la Vache (page 140) et Flexion bloquée en demi-lotus (page 146).

1 Tenez-vous dans la posture de la Montagne (page 46). Inspirez et déroulez la colonne depuis le coccyx jusqu'au sommet de la tête, en passant par la base du crâne. Inspirez et, en vous aidant de vos mains, levez le pied gauche sur le haut de la cuisse droite, talon gauche au-dessous de l'articulation coxo-fémorale. Poussez en arrière et vers le bas la face interne du genou gauche pour

INFORMATION

CONTEMPLATION. Le bout du nez.

PRÉPARATION. La Vache, Flexion bloquée en demi-lotus, Flexion d'une jambe.

COMPENSATION. La Chaise, la Montagne, Équilibre debout en demi-arc, Équilibre du Sage sur une jambe.

SIMPLIFICATION. a) Restez à la première étape. **b)** Posez les mains sur le plancher s'il vous est difficile de maintenir le pied par-derrière.

EFFET. Focalisant.

ramener la face de la cuisse en ligne avec la hanche.

2 En maintenant toujours le pied de la main gauche, passez le bras gauche derrière vous pour agripper si possible le gros orteil gauche. Inspirez, étirez la colonne vertébrale et levez le bras droit.

3 Sur l'expiration, penchez-vous en avant

depuis les hanches, en ramenant la main droite sur le plancher à côté du pied droit. Allongez la nuque en rapprochant le sommet de la tête du plancher et le front du genou. Inspirez et éloignez la poitrine des cuisses, en regardant devant vous et en étirant la colonne vertébrale depuis le coccyx à travers la base du crâne. Expirez et penchez-vous en avant une fois de plus, en détendant la colonne vertébrale et en plaçant la face antérieure du corps le long des cuisses. Respirez régulièrement, sans heurts, et percevez l'élongation du corps.

4 Inspirez, levez le bras droit et redressez-vous. Sur l'expiration, laissez aller le bras gauche et remettez le pied gauche dans la position de la Montagne. Répétez de l'autre côté.

②

③

Séquence du gros orteil redressé

Hasta Padangusthasana Cette posture assouplit les articulations des hanches, étire les muscles longs de la face postérieure des cuisses, tonifie les jambes et améliore l'équilibre. Elle fait partie des postures debout de l'Ashtanga Vinyasa yoga (page 385).

1 Tenez-vous dans la posture de la Montagne (page 46). Reportez mentalement votre poids sur la jambe gauche, le pied appuyé sur le plancher. Placez la main gauche sur la taille. Vos doigts pressant sur l'abdomen rappellent le Verrou abdominal (page 338). Fléchissez le genou droit et levez le pied. Attrapez le gros orteil avec l'index et le médius de la main droite.

1 Redressez la jambe droite en étirant la face interne du pied. Gardez la jambe gauche tendue et active. Reculez la cuisse gauche et ancrez-vous par la plante du pied. Les hanches sont à la même hauteur par rapport au plancher. Maintenez cinq respirations.

2 En serrant toujours l'orteil, faites pivoter latéralement la jambe droite et tournez la tête pour regarder par-dessus l'épaule gauche. Comme pour la première

② position, abaissez la hanche droite pour allonger la taille de ce côté-là. Maintenez pendant cinq souffles.

3 Ramenez la jambe droite en avant. Contractez les muscles abdominaux pour l'empêcher de tomber quand vous relâchez l'orteil. Grâce à la force des muscles de la cuisse et de l'abdomen le pied reste levé,

③ orteils étirés. Ramenez la main droite sur la taille et appuyez les doigts sur l'abdomen. Levez le pied droit aussi haut que vous le pouvez. Ne vous penchez pas en arrière, continuez à relever la poitrine. Maintenez cinq respirations.

4 Abaissez la jambe droite et répétez de l'autre côté.

INFORMATION

CONTEMPLATION. Le gros orteil et sur le côté.

PRÉPARATION. L'Arbre, Flexion debout.

COMPENSATION. Équilibre debout en demi-arc, la Montagne.

SIMPLIFICATION. a) Fléchissez le genou et maintenez-le avec la main.

b) Soutenez la cuisse par en dessous au lieu de tenir le gros orteil. **c)** Fléchissez le genou en tenant le gros orteil.
d) Agrippez une ceinture passée autour de la partie avant du pied. **e)** Tenez-vous près d'un mur pour l'équilibre.

EFFET. Assouplissant.

Équilibre debout en demi-arc

Utthita Ardha Dhanurasana Cette position accroît l'élasticité de la colonne vertébrale, tout en tonifiant les organes abdominaux et en fortifiant les jambes. Son aspect harmonieux rappelle qu'on peut posséder en même temps force et grâce.

1 Tenez-vous dans la posture de la Montagne (page 46). Inspirez profondément, en parcourant toute la longueur de votre corps. Transférez progressivement votre poids sur le pied gauche et reculez le pied droit, gros orteil posé sur le plancher. Les mains sur les hanches, faites monter le bas du dos et cambrez-vous fortement en arrière.

2 Fléchissez le genou droit et levez haut le talon. Restez penché en arrière pendant quelques respirations, pour fortifier les muscles dorsaux.

3 Ramenez le talon vers la fesse droite, tendez la main droite en arrière et agrippez la cheville. Poussez le pied droit en arrière tout en tirant la cheville en avant avec la main droite pour que votre "arc" soit aussi incurvé que possible. Tendez la jambe droite levée en arrière pour que la cuisse soit plus parallèle au plancher, le mollet

plus vertical, la plante du pied tournée vers le haut. Avancez la hanche droite et les côtes droites pour redresser le torse.

4 Fléchissez la jambe de support et penchez-vous en avant, bras gauche parallèle au plancher, paume vers le haut. Joignez le bout de l'index et du pouce. Fixez le regard sur leur point de jonction. Respirez régulièrement en maintenant votre équilibre avec aisance et grâce sur la jambe gauche, pendant que le pied droit continue à pousser

en arrière et vers le haut. La courbure dorsale s'accentue à mesure que vous ouvrez la poitrine et maintenez les épaules au même niveau.

5 Relâchez le pied droit en expirant et revenez à la position de la Montagne. Répétez de l'autre côté.

INFORMATION

CONTEMPLATION. Le bout des doigts.

PRÉPARATION. Le Guerrier 3, l'Arc, Équilibre du cygne sur une jambe.

COMPENSATION. Flexion longue reposante, Flexion d'une jambe.

SIMPLIFICATION. a) N'effectuez pas la dernière étape. **b)** Pratiquez près d'un mur pour l'équilibre.

EFFET. Focalisant.

Le Danseur

Natarajasana Cette posture très belle et très difficile exige de l'équilibre et une grande souplesse du dos, des jambes et des épaules. Elle est consacrée à Shiva le destructeur, troisième personnage de la trinité hindoue, Seigneur de la danse.

1 Tenez-vous dans la posture de la Montagne (page 46). Levez le pied droit, reculez le genou et fléchissez la jambe pour que la plante du pied se dirige vers le haut. Pointez les orteils vers le côté, puis attrapez la pointe du pied droit de la main droite. Gardez la jambe portante tendue et stable.

2 Tournez le coude vers l'extérieur en l'élevant (pour pouvoir agripper le gros orteil droit), tout en passant le bras droit derrière la tête et en rapprochant le pied droit de l'occiput. Ce faisant, gardez la hanche droite abaissée pour que la cuisse soit parallèle au plancher. Tendez le bras gauche à l'horizontale, paume vers le bas, et joignez le bout de l'index et du pouce. C'est la posture du Danseur 1 (l'illustration ci-contre montre la posture sur le côté gauche du corps).

3 Pour le Danseur 2, tendez la main gauche en arrière pour maintenir le pied gauche. Ramenez la tête en arrière et placez son sommet contre la voûte plantaire.

4 Expirez, abaissez la jambe gauche ainsi que les bras. Revenez en douceur à la position de la Montagne, puis répétez de l'autre côté.

INFORMATION

CONTEMPLATION. Le bout de l'index et du pouce pour le Danseur 1. Le troisième œil pour le Danseur 2.

PRÉPARATION. Allongements, la Grenouille, Équilibre debout en demi-arc, le Pigeon, le Pigeon royal. La Vache ouvre les épaules.

COMPENSATION. Jambes tendues contre le mur, Flexion debout, Flexion d'une jambe.

SIMPLIFICATION. a) Pratiquez couché sur le plancher, ramenant d'abord le talon jusqu'aux fesses, puis levant la cuisse pour que le talon arrive à la tête. **b)** Tenez-vous à environ 60 cm devant un mur et utilisez-le pour l'équilibre. **c)** Utilisez une ceinture passée autour du pied levé.

EFFET. Rajeunissant, énergisant.

Postures assises & au sol

En évacuant la tension, les postures

assises et au sol aident le corps à se

détendre pour retrouver son équilibre.

Les flexions en avant tonifient les

organes abdominaux et apaisent le

système nerveux. Elles neutralisent les

effets nuisibles du stress.

La flexion en avant permet au

mental d'accéder à un état de

réceptivité et
d'intuition offrant la
possibilité d'écouter son
cœur. L'esprit étant plus serein
et assuré lors des postures assises,
on peut alors s'abandonner à
celles qu'on choisit de
pratiquer. Et si on
essayait une
posture ?

L'Enfant

Balasana Cette posture reposante
rétablit l'équilibre et l'harmonie du corps
et conduit l'esprit à un état ouvert et
réceptif. Intégrez-la à votre pratique en
l'intercalant entre d'autres positions plus
difficiles.

1 Agenouillez-vous sur le plancher,
genoux joints. Les fesses reposent sur
les talons.

2 Déroulez la colonne vertébrale. Sur
l'expiration, penchez-vous en avant
depuis le bassin pour étaler la partie

❸

supérieure du corps sur les cuisses – le cœur sur le haut des cuisses, le front sur le plancher. Tendez les bras derrière le corps, le dos des mains sur le plancher à côté des pieds, doigts légèrement recourbés. La partie supérieure du dos s'élargit à mesure que la tension s'écoule par les épaules et les bras et quitte le corps. Détendez complètement les coudes. Dissipez toute tension dans le cou. Relaxez le bas du dos et assouplissez-le.

3 La posture de l'Enfant offre l'occasion d'explorer le souffle. À mesure que le torse s'étale sur les cuisses, l'expansion de la poitrine et de l'abdomen atteint son maximum. À chaque inspiration, accordez-vous au mouvement du souffle au niveau du dos, qui s'élargit et s'assouplit. Chaque expiration augmente en quelque sorte votre force intérieure. Observez la circulation de l'air dans le corps. La légère pression du plancher contre votre front permet au cerveau de lâcher prise et se relaxer à fond.

INFORMATION

CONTEMPLATION. Vers l'intérieur, les yeux fermés.

PRÉPARATION. Le Sceau du yoga.

COMPENSATION. L'Étirement de l'est, la Sauterelle.

SIMPLIFICATION. a) Placez une couverture pliée derrière les genoux. **b)** Si nécessaire, protégez le sommet des pieds. **c)** Si vos hanches élevées vous donnent un sentiment désagréable de chute, posez le front sur plusieurs coussins ou sur les poings superposés. **d)** Si vous êtes très souple et si votre cou ne semble pas vouloir se détendre correctement, placez une ou plusieurs couvertures pliées sur vos cuisses. Couchez-y la poitrine pour que la tête pende un peu plus.

EFFET. Centrant.

L'Enfant en extension

Utthita Balasana Cette variante en
extension de la posture de l'Enfant est un
peu plus active, car elle ouvre les épaules
et la poitrine en permettant au souffle de
circuler pleinement dans la poitrine et le
ventre.

1 Agenouillez-vous sur le plancher,
genoux largement écartés. Plus
l'écartement est grand, plus il agit sur les
hanches. Les gros orteils joints, posez les
fesses sur les talons. Déroulez la colonne
vertébrale et, sur l'expiration, écartez les
mains pour pencher la partie supérieure du
corps en avant. Commencez par vous
appuyer sur les mains pour re-ancrer vos
fesses plus près des talons. Essayez de
maintenir ce contact lorsque vous tendez
les mains devant vous. Étirez-vous depuis
les hanches jusqu'aux aisselles, puis
jusqu'au bout des doigts. Tombez les
épaules et laissez la nuque s'allonger, le
front posé sur le plancher. En maintenant
cette posture, inclinez davantage le bassin
en avant et détendez vos côtes entre la
face interne des cuisses.

Le Fœtus

Pindasana Il y a des moments où la vie est stressante, intense, trépidante et exige plus qu'on peut lui donner. Lors de ces moments, il est utile de se reconnecter avec la vivacité qui est toujours en soi ; c'est juste une question de s'apaiser suffisamment pour être présent là.

1 Restez dans la posture de l'Enfant (page 100), agenouillé sur le plancher, la partie supérieure du corps recroquevillée sur les cuisses. Tournez la tête de côté pour poser la joue sur le plancher. Courbez très lentement les doigts. Nichez les poings entre le menton et les genoux.

2 Accordez-vous au rythme apaisant du souffle. Nourrissez-vous de sa constance harmonieuse. Les yeux fermés, respirez gentiment dans le chakra du cœur, lui permettant de s'adoucir. Plongez davantage dans le corps avec chaque respiration. Gardez en cette position aussi longtemps que vous le désirez.

INFORMATION

CONTEMPLATION. Les yeux fermés, intérieurement.

PRÉPARATION. L'Enfant, le Sceau du yoga.

COMPENSATION. L'Étirement de l'est, la Sauterelle.

SIMPLIFICATION. Voir l'Enfant.

EFFET. Apaisant.

Le Bâton assis

Dandasana Cette position de base est le point de départ et de retour de toutes les postures et torsions assises. Elle stimule l'ensemble du corps en le préparant aux *asanas* plus compliquées. Cette posture incite à prêter attention aux détails.

1 Asseyez-vous sur le plancher, jambes tendues devant vous. Joignez les gros orteils, les talons et la face interne des genoux. Faites travailler intensément vos jambes en bandant les muscles des cuisses et en activant les muscles entourant les rotules. Appuyez les creux poplités sur le plancher. Assurez-vous que les jambes ne tournent pas vers l'extérieur.

5 A

2 Éloignez les talons des fesses en les étirant et en inclinant légèrement le bassin en avant. Vous aurez l'impression d'étirer la face postérieure des jambes ainsi que le bas du dos. Ne laissez pas s'affaisser le bas du dos en vous déroulant depuis la base du bassin. Le poids doit être réparti également entre les fesses.

deux côtés des hanches, doigts dirigés en avant. Relevez la poitrine, puis élargissez les épaules.

3 Placez les mains à plat sur le plancher des

⑤ Ⓑ

4 Tirez le nombril vers la colonne vertébrale pour avoir l'impression d'allonger le torse. Dans cette posture, l'action ancrante du coccyx permettra au reste de la colonne vertébrale de s'élever afin que vous restiez assis bien droit.

5 Vérifiez la position de la tête et du cou. Le menton est parallèle au plancher, ce qui l'empêche de saillir et permet de maintenir la nuque allongée. Les illustrations montrent une vue frontale Ⓐ et une vue latérale Ⓑ .

La Posture facile (en tailleur)

Sukhasana Cette posture simple ouvre les hanches et les muscles abducteurs des cuisses. Si vous n'êtes pas encore capable d'effectuer la posture du Lotus (page 152), celle-ci convient pour la méditation et le *pranayama*.

1 Asseyez-vous en tailleur. Rapprochez les genoux pour que les pieds s'écartent davantage l'un de l'autre. Chaque genou est bien en ligne avec la hanche correspondante. Le bord externe des pieds est en contact avec le sol. Cette position, où les tibias sont parallèles, ouvre davantage. Si les genoux sont placés plus haut que les articulations coxo-fémorales, vous aurez du mal à l'effectuer. Asseyez-vous, la colonne droite, en surélevant vos fesses grâce à autant de couvertures pliées que nécessaire.

2 Pour agir davantage sur les hanches, prenez la position de l'Étirement en avant jambes croisées. Posez les mains sur le plancher devant vous, inspirez et étirez-vous du pubis à la base de la gorge. Expirez et

②

INFORMATION

CONTEMPLATION. Pile devant quand vous vous tenez droit. Les yeux fermés en vous penchant en avant.

PRÉPARATION. Échauffements ouvrant la hanche dans la Flexion bloquée en demi-lotus et la Vache, le Cordonnier, la Posture de l'angle tenu renversé.

COMPENSATION. L'Enfant, le Sceau du yoga.

SIMPLIFICATION. Pratiquez sur une jambe à la fois, assis sur une chaise.

EFFET. Centrant.

écartez les mains, en maintenant l'ouverture de la partie avant du tronc.

3 Gardez le bord avant des fesses appuyé contre le plancher et faites monter le chakra du cœur en respirant pour vous détendre. Avancez peu à peu les mains.

Laissez le souffle effacer tout blocage autour de l'articulation coxo-fémorale et maintenez pendant quelques minutes. En vous relevant, inversez le croisement des jambes et répétez de l'autre côté.

③

Flexion
en étirant les orteils

Utthita Anguli Sukhasana Les orteils de la plupart des gens sont enfermés dans des chaussures, ce qui alourdit souvent les pieds. Revivifiez-les en les étirant dans cette flexion en avant. N'oubliez pas d'étirer les orteils dans toute autre posture où vous les fixez du regard.

1 Prenez la Posture facile (page 106), jambe gauche devant la droite. Penchez-vous en avant. En vous aidant de la main droite, glissez les doigts de la main gauche autant que possible entre les orteils du pied droit.

2 Ensuite, passez de votre mieux les doigts de votre main droite entre les orteils du pied gauche. Comprimez doucement tous les orteils.

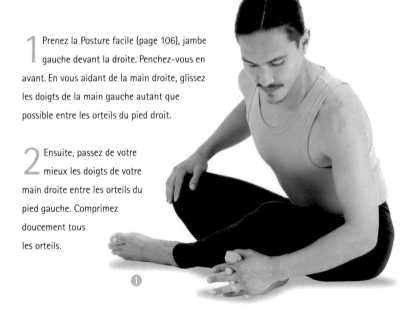

3 Abaissez les talons, penchez-vous en avant, faites saillir les coudes comme des ailes. Sur l'expiration, allongez la partie supérieure du corps pour reposer le front sur le plancher. Maintenez pendant dix respirations, en gardant les fesses sur le plancher, tout en vous assurant que le torse et le dos gardent la même longueur. Si vous n'êtes pas à l'aise, profitez de l'occasion pour développer la sérénité d'esprit face à l'adversité.

4 Inspirez pour vous redresser et relâchez les mains. Croisez les jambes dans le sens opposé et répétez de l'autre côté.

INFORMATION

CONTEMPLATION. Les yeux fermés ou le bout du nez.

PRÉPARATION. La Posture facile.

COMPENSATION. L'Enfant, l'Étirement de l'est.

SIMPLIFICATION. a) Comprimez les orteils avec vos doigts.
b) Surélevez vos fesses avec des coussins **c)** Tenez-vous bien droit.

EFFET. Extensif, assouplissant.

Le Lion

Simhasana Cette posture encourage l'expression consciente de l'aspect agressif de la personnalité ! Elle active les verrous énergétiques (*bandhas*) et débloque le passage de la gorge. Excellent exercice pour les muscles faciaux. Sa nature expressive revivifie.

1 À partir d'une position agenouillée, penchez-vous en avant pour lever les fesses et croiser les chevilles. Le pied gauche est plus proche du plancher. Tous les orteils pointent en arrière. Tombez le coccyx et étirez la colonne vertébrale.

2 Passez les paumes sur les genoux, bras bien tendus. Écartez largement les doigts. Chargez les bras en énergie depuis les épaules jusqu'au bout des doigts.

❷

3 Fermez les yeux et prenez une longue inspiration lente. Sur l'expiration, penchez-vous un peu en avant, ouvrez la bouche aussi grand que possible et tirez la langue autant que vous le pouvez en essayant de vous toucher le menton. Roulez les yeux pour regarder vers la région du Troisième œil située entre les sourcils. En même temps, rugissez depuis l'arrière de la gorge. Maintenez cette position et respirez par la bouche. Sentez s'étirer la peau de votre visage. La large ouverture des mâchoires, associée à la respiration par la bouche, met en contact avec sa nature propre animale.

INFORMATION

CONTEMPLATION. Le Troisième œil.

COMPENSATION. La Posture de l'angle tenu renversé, le Cadavre.

SIMPLIFICATION. a) Placez une couverture pliée sous les chevilles. **b)** Préférez une position à genoux.

EFFET. Relaxant.

4 Rentrez la langue, fermez la bouche et les yeux. Restez tranquillement assis avant de commencer une autre série. Changez le croisement des jambes et répétez deux autres fois.

La Posture parfaite

Siddhasana Cette posture accroît la circulation dans la zone lombaire de la colonne vertébrale et le périnée. Elle favorise la mobilité des articulations du genou et de la cheville. Excellente position assise pour le *pranayama*, la psalmodie ou la méditation.

1 Asseyez-vous dans la posture du Bâton assis (page 104). Pliez la jambe droite et placez le talon sur la ligne de milieu du corps. La plante du pied repose sur la face interne de la cuisse gauche. Le talon gauche est posé devant la cheville droite.

la plante et le bord externe du pied gauche entre le mollet droit et la cuisse. Les genoux étant largement écartés et proches du sol, une base solide d'assise s'établit.

2 Vous pouvez aussi appuyer le talon droit contre le périnée (la zone située entre l'anus et les organes génitaux). Calez

3 Ancrez votre poids dans les os iliaques et étirez la colonne

avec le reste de la colonne. Fermez les yeux ou regardez le bout de votre nez. Maintenez un moment, en respirant profondément à travers l'ensemble du corps. À chaque fois que vous pratiquez la Posture parfaite, changez la jambe que vous pliez en premier.

5 Pour pratiquer le Sceau du yoga (voir page 155), passez une main derrière votre dos pour attraper l'autre poignet. Inspirez, étirez la colonne vertébrale, puis expirez et penchez-vous en avant. Si possible, reposez le front sur le plancher. Cette posture, qui peut être aussi pratiquée à partir d'une position agenouillée, est apaisante et prépare très bien à la méditation.

vertébrale à partir de cette base. Les bras tendus et les coudes relaxés, posez doucement les mains sur les genoux. Tournées soit vers le haut, soit vers le bas, les mains assument une *mudra* (position de la main) de votre choix.

4 Rentrez légèrement le menton pour que les vertèbres du cou soient en ligne

③

La Tête au genou (la Pince)

Janu Sirsasana Cette posture tonifie le foie, la rate et les reins. Au lieu de tendre la tête vers le genou en arrondissant le dos, visez à réduire l'écartement entre le nombril et la cuisse, puis entre la poitrine et la cuisse. Reposez finalement le front sur le mollet.

1 Asseyez-vous sur le plancher dans la posture du Bâton assis (page 104). Fléchissez le genou droit sur le côté. Laissez un petit espace entre la plante du pied et la cuisse gauche. Alignez les hanches.

2 Tendez le talon gauche. Sur l'inspiration, levez les bras au-dessus de la tête. Tournez le torse vers la gauche à partir du bas-ventre et alignez le sternum avec le fémur gauche. En maintenant la colonne allongée, expirez en penchant en avant la partie supérieure du corps et en attrapant le pied gauche des deux mains.

3 Si vous atteignez le pied, augmentez la difficulté en reculant le genou droit aussi loin latéralement que possible. Dans cette position, le sommet du pied droit repose

INFORMATION

CONTEMPLATION. Le bout du nez (menton sur le mollet, au niveau des orteils).

PRÉPARATION. Le Bâton assis, l'Enfant en extension, Long étirement des jambes croisées, le Cordonnier.

COMPENSATION. Le Héros, l'Étirement de l'est.

SIMPLIFICATION. a) Asseyez-vous sur une couverture pliée. **b)** Utilisez une ceinture passée autour du sommet du pied. **c)** En cas de problèmes avec les genoux, éloignez davantage de l'aine le talon de la jambe pliée ou tendez la jambe sur le côté.

EFFET. Calmant.

sur le plancher. La hanche droite est plus en retrait que la gauche.

4 Une variante plus avancée implique de s'asseoir sur le talon de la jambe pliée. Placez le talon sous le périnée et, si possible, faites pivoter la cheville à angle droit. Les orteils pointent en avant. Quand vous associez cette posture au Grand verrou (page 341), vous créez une *mudra*, le Grand sceau.

Tombez les épaules. Vos mains enserrent la plante du pied, la main droite agrippant le poignet gauche. Pliez les coudes. Appuyez le creux poplité gauche sur le plancher. Étirez les orteils. Accentuez l'étirement de la partie droite du bas du dos en appuyant la cuisse et le genou droit sur le plancher. Maintenez pendant dix respirations ou plus. Inspirez pour vous redresser et répétez de l'autre côté.

5 En maintenant cette position, continuez à avancer les côtes flottantes.

La Tête au genou en pivotant

Parivrtta Janu Sirsasana La plupart des mouvements quotidiens entraînent des flexions en avant. Cet étirement latéral fait travailler les petits muscles intercostaux tout en imposant au tronc une torsion utile.

1 Asseyez-vous sur le plancher dans la posture du Bâton assis (page 104). Suivez les étapes de la posture de la Tête au genou (page 114) pour plier et positionner la jambe droite. Levez le bras droit sur le côté et faites descendre la paume en spirale. Faites pivoter le tronc vers la droite à partir du bas-ventre et passez le bras derrière le dos pour agripper la face interne de la cuisse gauche.

2 Levez le bras gauche en l'étirant depuis la hanche jusqu'à l'aisselle, et essayez d'attraper la face interne du pied gauche. Allongez les côtes gauches sur la cuisse gauche. Reculez un

peu l'épaule droite en l'élevant afin d'ouvrir complètement la poitrine vers la droite.

3 Si vous devenez assez souple, l'épaule gauche appuiera contre la face interne du genou gauche. Pour commencer, placez le coude sur le plancher en maintenant le pied. Infléchissez les côtes gauches, faites ressortir les côtes droites et accentuez la courbure de la colonne vertébrale.

4 Pour passer à la seconde étape, tournez vers le haut les doigts de la main gauche, sans lâcher le pied. La main droite quitte la cuisse et passe au-dessus de la tête pour maintenir les orteils gauches. L'épaule droite recule pour être directement au-dessus de la gauche. Pliez le coude gauche pour rapprocher l'épaule du plancher. Faites ressortir le côté droit du tronc (en l'éloignant du plancher, de même que la colonne) pour étirer

INFORMATION

CONTEMPLATION. Vers le haut.

PRÉPARATION. Étirement latéral debout, Posture facile tournée, la Porte, la Porte assis.

COMPENSATION. L'Étirement de l'est, Long étirement des jambes.

SIMPLIFICATION. a) Posez la main droite sur le sacrum ou derrière lui sur le plancher. **b)** La main gauche attrape la cuisse ou le mollet. **c)** Utilisez une ceinture pour garder le pied tendu.

EFFET. Centrant.

les petits muscles intercostaux situés ici. Regardez vers le ciel par en dessous le haut du bras. Maintenez pendant cinq à dix respirations, puis répétez de l'autre côté.

Long étirement des jambes (la Pince assis)

Paschimottanasana La partie postérieure du corps est fortement étirée lorsque le tronc se couche sur les jambes. La tête étant rentrée, cette position offre l'occasion de se reconnecter profondément avec l'être intérieur.

1 Asseyez-vous dans la posture du Bâton assis (page 104), paumes ou bout des doigts sur le plancher, à côté des hanches. Inclinez le bassin en avant pour placer votre poids davantage sur le bord des os iliaques, qui vous ancrent au plancher quand vous inspirez, et levez les bras au-dessus la tête. Le chakra du cœur fait monter et allonge la colonne vertébrale jusqu'au sommet de la tête.

2 Sur l'expiration, tirez en douceur le pubis vers la colonne vertébrale en penchant la partie supérieure du corps, bras le long des jambes. Attrapez soit les gros orteils, soit le bord des pieds, soit un poignet passé par derrière le sommet du pied.

3 L'ouverture de la poitrine aidera à dégager la respiration. Sur l'inspiration,

regardez devant vous, élevez le chakra du cœur, éloignez les côtes flottantes des hanches et poussez-les vers les genoux. Ce mouvement en avant part du bassin et des vertèbres lombaires, et surtout pas de la tête et des épaules.

4 Si vous pouvez atteindre facilement les pieds, pliez les coudes et expirez en reposant le front sur les genoux. Si la poitrine n'est pas proche des cuisses, ne laissez pas la tête pendre, gardez les vertèbres cervicales en ligne avec le reste de la colonne vertébrale. Tombez les épaules.

5 Quand vous avez atteint l'extension maximale, maintenez en respirant profondément aussi longtemps que vous êtes à l'aise. Gardez la face postérieure des jambes en contact avec le plancher. Efforcez-vous de maintenir l'inclinaison antérieure du bassin lorsque la colonne vertébrale s'allonge en avant.

INFORMATION

CONTEMPLATION. Les orteils ou le Troisième œil.

PRÉPARATION. Le Bâton assis, Long étirement des jambes croisées, Flexion debout, la Tête au genou.

COMPENSATION. La Posture de l'angle tenu renversé, l'Étirement de l'est, la Sauterelle.

SIMPLIFICATION. a) Gardez les genoux fléchis, voir Long étirement reposant des jambes. **b)** Fléchissez les genoux et reposez la poitrine sur les cuisses. **c)** Attrapez les cuisses ou les mollets plutôt que les pieds.

EFFET. Calmant.

6 Relâchez sur l'inspiration. Rentrez le bas-ventre, levez les bras et la poitrine. Posez les bras à côté des hanches. Sur l'expiration, revenez à la position du Bâton assis.

❺

Le Héros

Virasana Cette posture agenouillée étire la face antérieure des cuisses et ouvre les articulations des chevilles. Comme elle diminue l'apport de sang aux jambes, les sensations sont ralenties, si bien que certains la trouvent utile pour la méditation. En quittant cette posture, appréciez le flot de sang arrivant aux genoux.

1 Agenouillez-vous sur le plancher, pieds largement écartés et genoux aussi proches que possible. En posant vos fesses entre vos pieds, les mains font rouler la chair des mollets vers l'extérieur et la lissent en descendant vers les talons. De cette manière, les mollets peuvent se serrer davantage contre la face externe de la cuisse. Le sommet des pieds est sur le plancher, orteils dirigés en arrière. Ne tournez jamais les pieds sur les côtés pour ne pas imposer une tension à la face interne des genoux. Les cuisses sont parallèles. Maintenez les gros orteils avec le pouce et l'index, en les écartant des autres orteils. Continuez et écartez tous les orteils, en faisant paraître plus large la plante des pieds.

2 Posez les fesses en douceur sur le plancher. À partir de cette base bien ancrée, restez assis le dos bien droit et rentrez le bas-ventre pour avoir la

sensation que la colonne vertébrale s'allonge. Posez le dos des mains sur le sommet des genoux, le bout du pouce et de l'index se touchant légèrement. Regardez droit devant ou, les yeux fermés, concentrez-vous sur le Troisième œil. Maintenez aussi longtemps que vous appréciez cette plongée dans votre être.

③ Ⓐ

INFORMATION

CONTEMPLATION. Le bout du nez.

PRÉPARATION. Flexion en avant la jambe pliée, l'Enfant.

COMPENSATION. Le Bâton assis, Posture de l'angle tenu renversé, la Tête au genou, l'Étirement de l'est.

SIMPLIFICATION. a) Rapprochez les gros orteils pour vous asseoir sur les talons. **b)** Asseyez-vous sur un traversin. **c)** Écartez légèrement les genoux. **d)** Placez une couverture pliée sous les chevilles. **e)** Placez un tissu peu épais sur la région poplitée.

EFFET. Centrant.

---

3 Pour quitter cette posture, inspirez et levez les mains au-dessus de la tête. Les bras complètement tendus, entrelacez les doigts et étirez les paumes vers le plafond. C'est la posture de la Montagne 2 Ⓐ . En abaissant les bras, laissez les paumes reposer légèrement sur les talons et penchez la partie supérieure du corps en avant, pour que le front arrive sur le plancher. Ⓐ . Relevez-vous ensuite à quatre pattes.

③ Ⓑ

Flexion
la jambe pliée

Trianga Mukhaikapada
Paschimottanasana Cette posture étire
les muscles longs de la partie postérieure
de la cuisse, assouplit le genou et la
cheville. Conseillée en cas de sciatique.
Comme la plupart des flexions en avant,
celle-ci tonifie les organes digestifs.

1 Installez-vous dans la posture du Bâton
assis (page 104), en appuyant
fortement les creux poplités sur le sol.

2 Fléchissez le genou droit et
amenez le pied à côté de
la hanche droite.
Penchez-vous vers la
gauche et posez le
pouce droit sur le haut
des muscles du
mollet. Faites-
les rouler vers
la droite et aplatissez-
les vers le talon. Les orteils

pointent en arrière ou légèrement vers
l'intérieur, le sommet du gros
orteil et du petit orteil en
contact avec le plancher.
Attention, en pointant les
orteils vers l'extérieur vous
faites courir un risque au
genou. Gardez les fémurs
parallèles, pour que les
genoux soient très proches.

❷

3 Appuyez bien la fesse droite sur le sol pour que votre poids soit également réparti entre les os iliaques. Si lors de cette étape la cheville droite est douloureuse, pratiquez la posture du Héros (page 120).

4 Inspirez et étirez la partie antérieure du corps. Laissez la poitrine s'élever en rentrant le bas-ventre. Expirez et penchez-vous en avant, tout en maintenant cette longueur du torse. Tenez le poignet droit de la main gauche passée derrière le pied. Reposez le front ou le menton sur le mollet gauche.

5 Redressez et élargissez les épaules pour qu'elles soient détendues même en travaillant. Re-ancrez-vous à travers la fesse droite. Accentuez la posture en descendant la poitrine vers l'avant. Maintenez pendant dix respirations.

INFORMATION

CONTEMPLATION. Le gros orteil.

PRÉPARATION. Le Héros, Long étirement des jambes.

COMPENSATION. Le Chat, l'Étirement de l'est.

SIMPLIFICATION. a) Placez une couverture pliée ou un coussin sous la fesse gauche. **b)** Placez un rembourrage sous le sommet du pied de la jambe pliée. **c)** Fléchissez le genou de la jambe tendue avancée. **d)** Utilisez une ceinture autour du pied avancé.

EFFET. Calmant, ancrant.

6 Redressez-vous sur inspiration, puis expirez et tendez la jambe droite pour revenir à la posture du Bâton assis. Répétez de l'autre côté.

⑤

123

Le Héron

Krounchasana La jambe tendue ressemble au cou et à la tête de l'oiseau dans cette posture. Elle étire les muscles longs de la partie postérieure des cuisses et assouplit les hanches, les genoux et les chevilles. Cette position rassemble à celle de l'Étirement de trois membres, mais entretient une relation différente avec la gravité.

1 Asseyez-vous dans la posture du Bâton assis (page 104). Fléchissez le genou gauche et ramenez le pied droit à côté de la hanche, orteils pointant en arrière ou légèrement en dedans, surtout *pas* en dehors. Penchez-vous vers la droite et placez le pouce gauche sur le sommet des muscles du mollet. Il les roule vers la droite et les lisse en descendant vers le talon. Tenez-vous assis une fois de plus le dos bien droit et appuyez l'os iliaque droit sur le sol, pour répartir également le poids du corps entre les fesses.

Le sommet du gros orteil et du petit orteil touche le plancher, les genoux sont écartés de quelques centimètres. Si lors de

cette étape la cheville droite est douloureuse, pratiquez le Héros (page 120) et la
Flexion la jambe pliée (page 122) avant de
prendre cette position-ci.

2 Fléchissez le genou droit et rapprochez-
le du tronc. Serrez le talon droit des
deux mains. Tendez verticalement la jambe
droite. Ce faisant, les mains appuient sur le
talon, comme si vous vouliez diminuer la
distance entre celui-ci et la fesse droite. Bien
que ce procédé puisse sembler contradic-
toire, il favorise le redressement de la jambe.

INFORMATION

CONTEMPLATION. Les orteils.

PRÉPARATION. Le Héros, Flexion
la jambe pliée, Long étirement des
jambes.

COMPENSATION. Le Cordonnier,
l'Étirement de l'est.

SIMPLIFICATION. a) N'effectuez pas
l'étape finale. **b)** Utilisez une ceinture
autour du pied et/ou pliez la jambe
levée. **c)** Placez un rembourrage sous
le sommet du pied de la jambe pliée.

EFFET. Stimulant, calmant.

3 Bandez les muscles de la cuisse droite
et ouvrez le creux poplité, en gardant
la jambe (le cou du Héron) étirée
verticalement. En partant du coccyx,
cambrez le bas du dos et ramenez
lentement le menton sur le tibia droit, en
levant le regard vers le pied. Si possible,
attrapez le poignet gauche de la main
droite. Ne voûtez pas le dos, n'affalez pas
la poitrine. Maintenez le centrage de la
jambe droite. Restez ainsi pendant dix
respirations.

4 Expirez,
abaissez la
jambe droite et
redressez la gauche,
puis répétez de
l'autre côté.

Double maintien des orteils

Ubhaya Padangusthasana Cette posture a des effets similaires à ceux du Long étirement des jambes (page 118), avec la difficulté supplémentaire de l'équilibre.

1 Asseyez-vous dans la posture du Bâton assis (page 104), jambes tendues. Fléchissez les genoux et rapprochez les talons des fesses. Serrez les gros orteils entre le pouce et le médius. Sur l'expiration, levez les jambes tendues en vous équilibrant sur les fesses. Appuyez les os iliaques sur le plancher et rentrez le périnée. Évitez l'affalement des côtes dans le ventre – cambrez le bas du dos et levez la poitrine vers les genoux en allongeant la colonne vertébrale. Étirez la face postérieure des jambes jusqu'aux talons. Levez le visage vers le ciel, en maintenant la nuque allongée.

2 Si vous êtes à l'aise, cette posture peut être élargie, comme pour le Long étirement des jambes, en entrelaçant les doigts autour de la plante des pieds. Maintenez cette posture pendant quelques respirations avant de la quitter.

3 Une variante de cette posture est l'Équilibre en avant ascendant. À partir d'une position assise, levez les jambes.

INFORMATION

CONTEMPLATION. Le troisième œil.

PRÉPARATION. Le Bateau, Long étirement des jambes, le Héron, le Héros en demi-lotus.

COMPENSATION. Le Cadavre, l'Étirement de l'est.

SIMPLIFICATION. a) Gardez les genoux fléchis, les avant-bras croisés derrière eux. **b)** Utilisez une ceinture autour des pieds. **c)** Attrapez les talons au lieu des orteils et tirez-les fermement en arrière en redressant les jambes et le torse. **d)** Pratiquez le dos ou les orteils contre un mur.

EFFET. Focalisant.

Fléchissez les genoux pour que les tibias soient parallèles au plancher. Placez les avant-bras le long des mollets, les doigts en coupe entourant les talons. Gardez l'abdomen et les cuisses assez proches Ⓐ. Sur l'expiration, redressez les jambes en poussant les talons en arrière avec doigts. Réduisez l'écart entre la poitrine et les cuisses. Approchez le visage des tibias. Ouvrez les creux poplités pour redresser complètement les genoux. Cette posture peut aussi devenir une *mudra*, le Sceau de la foudre Ⓑ. Pour développer cette position en une *mudra*, pratiquez le Grand verrou (page 341). Sur l'expiration, rabaissez les mains et les jambes sur le plancher pour vous reposer dans la posture du Cadavre (page 310).

Ⓧ Ⓐ   Ⓧ Ⓑ

La Porte

Parighasana La forme inhabituelle de cette posture invite à exposer son idée de qui on est et de comment on est dans le monde. En pratiquant sur les deux côtés, la circulation du *prana*, l'énergie vitale, est améliorée.

1 Agenouillez-vous et tendez le pied gauche sur le côté, talon en ligne avec le genou droit. Activez les muscles de la face antérieure de la cuisse, en appuyant les orteils gauches sur le plancher. Levez le bras droit au-dessus de la tête en inspirant, paume tournée vers le haut. Rentrez le coccyx et déroulez la colonne vertébrale en l'élevant.

2 Avancez la hanche gauche pour la ramener directement au-dessus du genou. Sur l'expiration, courbez-vous profondément à partir de la partie gauche de la taille et tendez le bras gauche le long de la jambe gauche, paume toujours vers le haut. Résistez à l'envie de vous pencher en avant

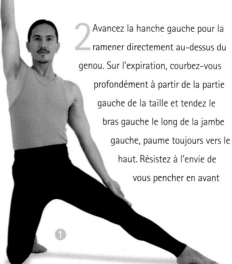

– gardez la partie postérieure du corps sur un même plan.

3 Sur l'inspiration, étirez le côté droit du corps, depuis le genou jusqu'au bout des doigts. Expirez et courbez le bras droit au-dessus de la tête, vers le pied gauche. Maintenez l'ouverture de l'aisselle droite, en reculant le bras pour que les épaules soient l'une au-dessus de l'autre. Rapprochez les paumes et tournez la tête pour lever les yeux par dessous le bras droit. Restez ainsi pendant quelques respirations, en percevant l'expansion des côtes les plus hautes.

4 Abaissez le bras droit sur l'inspiration, en ramenant le torse au centre. Remettez la jambe gauche en position agenouillée. Fermez les yeux et prenez quelques respirations en ressentant la différence de longueur entre les côtés droit et gauche du corps. Répétez de l'autre côté.

INFORMATION

CONTEMPLATION. Vers le haut, par en dessous l'aisselle.

PRÉPARATION. Étirement latéral debout, la Tête au genou en pivotant, la Porte assis.

COMPENSATION. L'Étirement de l'est, Long étirement des jambes, le Chien museau vers le sol.

SIMPLIFICATION. a) Appuyez la paume droite sur la cuisse, pour soutien. **b)** Gardez la main gauche sur la hanche ou levez-la à la verticale. **c)** Pratiquez en tailleur.

EFFET. Libérateur.

Posture de l'angle assis

Upavista Konasana Cette posture étire la face interne des cuisses, tonifie les jambes, ouvre les hanches et stimule la circulation du sang dans la région pelvienne. Position parmi les plus utiles en cas des problèmes gynécologiques, elle régularise le flux menstruel et la fonction ovarienne. Bonne posture pour pratiquer le yoga pendant la menstruation et la grossesse.

1 Installez-vous dans la posture du Bâton assis (page 104). Écartez largement les jambes. Appuyez les creux poplités sur le plancher pour charger en énergie les jambes et s'assurer que les genoux et les orteils ne roulent pas sur le côté. Placez les mains sur le plancher près des hanches. Étirez les talons pour redresser et allonger la face postérieure des jambes. Relevez la poitrine et roulez le bassin en avant pour accroître la courbure du bas du dos. Maintenez pendant quelques respirations.

2 Expirez, penchez-vous en avant et attrapez les gros orteils avec les index et les médius, les bras

②

③

3 Expirez et poussez davantage la poitrine en avant et vers le bas. Posez le front, ou si possible le menton et la poitrine, sur le plancher. Étirez les mains au loin pour élargir la poitrine. Les orteils et les genoux pointent vers le haut. Respirez doucement et régulièrement, soyez patient en plongeant davantage dans la posture. Pour la quitter, les mains soutiennent sous les genoux les jambes, qui se rapprochent.

bien droits. Dans cette position, l'étirement du dos est facilement perceptible. Le plus difficile est de maintenir l'allongement du torse. Rentrez le nombril sur chaque inspiration (voir le Verrou abdominal, page 338) et ne voûtez pas le dos. Contractez fortement les muscles antérieurs des cuisses. Maintenez pendant quelques respirations de plus.

INFORMATION

CONTEMPLATION. En avant et vers le haut.

PRÉPARATION. La Tête au genou, Long étirement des jambes, Flexion les jambes écartées.

COMPENSATION. Le Cordonnier, la Vache, l'Étirement de l'est.

SIMPLIFICATION. a) N'effectuez pas l'étape finale. **b)** Utilisez des ceintures autour des pieds, ou attrapez les jambes plus haut. **c)** Asseyez-vous sur une couverture pliée et/ou le dos contre un mur.

EFFET. Apaisant.

▲

Séquence d'étirement assis sur le côté

Parsva Upavista Konasana L'étirement latéral neutralise la raideur du dos et confère une grande fluidité au corps. La variante en torsion libère le bas du dos de la même manière que la Tête au genou (page 114).

1 Asseyez-vous, jambes largement écartées. Les rotules et les orteils pointent vers le haut. Étirez les talons et pointez les orteils en arrière, vers le torse. Le bout des doigts est posé sur le plancher, derrière vous. Prenez quelques respirations, puis relevez le torse à partir des hanches. N'essayez pas de vous forcer à vous tendre davantage. Gardez une attitude aisée et joyeuse.

2 Quand vous éprouvez un sentiment de libération et d'amplitude, levez le bras gauche. Posez la main droite sur la cuisse droite. Sur l'expiration, courbez-vous profondément vers la droite, depuis la hanche gauche jusqu'à la base de la main gauche. Faites ressortir encore plus la partie gauche de la taille, comme si vous vouliez que les côtes gauches touchent le mur latéral. Cela confère à la posture un sentiment de légèreté.

❷

gauche du bas du dos, en alignant le sternum avec la jambe droite. Abaissez l'épaule gauche et le bras au même niveau que la droite. Serrez le sommet du pied. Déployez un peu d'énergie mentale dans la jambe gauche. Appuyez de

3 Si vous êtes assez flexible, tenez le pied des deux mains. Ne vous forcez pas pour atteindre le pied aux dépens des courbures latérales de votre corps. Gardez l'épaule gauche au-dessus de la droite, pas devant celle-ci. Ancrez la fesse gauche sur le plancher. Prolongez la ligne d'énergie, de la hanche gauche à la main gauche. Maintenez pendant cinq ou dix respirations.

façon égale la face postérieure de la jambe sur le plancher et étirez le talon. Rentrez le nombril sur chaque inspiration. Laissez les côtes flottantes se rapprocher du genou sur chaque expiration. Sentez votre taille s'amincir sur chaque expiration, à mesure que vous pivotez. Prenez cinq ou dix longues respirations puis répétez de l'autre côté.

4 Pivotez depuis le bas-ventre pour que le nombril soit au-dessus de la cuisse. Étirez en diagonale la partie

INFORMATION

CONTEMPLATION. Le bout du nez.

PRÉPARATION. La Chandelle du débutant, la Porte assis, la Tête au genou, Posture de l'angle assis.

COMPENSATION. Le Cordonnier, la Vache.

SIMPLIFICATION. a) Fléchissez le genou droit. **b)** Étirement sur le côté – restez à l'étape 2. **c)** Torsion – attrapez la cuisse ou le mollet.

EFFET. Assouplissant.

Le Cordonnier

Baddha Konasana Cette posture assise
étire fortement les muscles abducteurs de
la face interne des cuisses. Toute personne aux hanches raides bénéficiera de
la pratique quotidienne de cette posture.
En raison de sa concentration sur le
plancher pelvien, cette posture tonifie et
revigore tous les organes de cette région.

1 À partir de la posture du
Bâton assis (page 104),
pliez les genoux sur les côtés
et joignez la plante des
pieds. Tirez les jambes vers
le corps, talons vers le
périnée.

2 Posez le bout des
doigts recourbés sur
le plancher, derrière
votre dos. Appuyez
fortement sur vos
fesses en

déroulant verticalement la colonne
vertébrale et en élevant le chakra du cœur.
Portez votre attention sur le bord intérieur
des cuisses. Étirez la face interne des genoux
latéralement, comme si vous vouliez
toucher des murs placés là. Ainsi, les
genoux se rapprocheront plus facilement
du plancher. Quelques longues
expirations atténueront toute tension
de la face interne des
cuisses – ne forcez pas
cet étirement.,
abandonnez-vous à lui !

3

④

4 Appuyez les coudes sur la face interne des cuisses en repliant la partie supérieure du corps. Maintenez son allongement en posant le front sur le plancher.

3 Si votre sentiment d'être "assis bien droit" paraît inébranlable, entourez les pieds des deux mains. Écartez les gros orteils avec les pouces et placez les pieds de sorte que leur plante s'ouvre comme un livre. La descente des genoux vers le plancher sera facilitée. Aidez éventuellement le torse à s'élever depuis les hanches en entrelaçant les doigts autour des pieds et en remontant la taille.

⑤

5 Une variante en équilibre de la posture du Cordonnier est la Pression sur le nombril. Tenez vos pieds en coupe et levez-les dans les airs aussi haut que possible, puis ramenez les gros orteils vers la poitrine. Lorsque les pieds vont vers le corps, les genoux tirent en arrière. Si possible, enroulez les avant-bras plus haut pour attraper les coudes.

INFORMATION

CONTEMPLATION. Le bout du nez ou droit devant vous.

PRÉPARATION. La Posture de l'angle tenu renversé, la Tête au genou, l'Enfant en extension, la Guirlande, préparation pour le Lotus.

COMPENSATION. La Posture de l'angle

assis, le Héros, l'Étirement de l'est.

SIMPLIFICATION. a) Asseyez-vous dos contre un mur. **b)** Asseyez-vous sur un traversin ou une couverture pliée pour surélever l'assise. **c)** Placez un poids sur le sommet de chaque cuisse.

EFFET. Élargissant.

Posture de l'angle tenu renversé

Supta Baddha Konasana Cette posture ouvre en douceur les hanches et les muscles abducteurs de la face interne des cuisses. Elle allège de nombreux troubles digestifs et de reproduction, car le bassin bénéficie d'un apport régulier de sang. Cette variante ouvre la poitrine et favorise la respiration régulière.

1 Installez-vous sur le plancher dans la posture du Bâton assis (page 104). Placez l'extrémité étroite d'un traversin ou le bord de plusieurs couvertures pliées (une à trois) contre le sacrum. Joignez la plante des pieds, écartez les genoux et remontez les talons pour qu'ils reposent contre le périnée. Utilisez une ceinture souple (ou une ceinture de peignoir) pour maintenir les pieds en position et exercer une traction agréable à travers le sacrum. Passez la ceinture autour de la pointe des pieds, faites-la monter par l'intérieur des genoux et enroulez-la autour du bas du dos. Quand vous êtes assis bien droit, cette ceinture passera juste en dehors de la face interne des cuisses. Tenez-la lâchement et serrez-la complètement seulement après vous être renversé en arrière.

2 Renversez-vous vertèbre par vertèbre, jusqu'à ce que vous soyez à plat sur le dos. Les fesses sont en contact avec le plancher, la partie supérieure du corps est soutenue par le traversin. Vous pouvez rapprocher davantage les talons du corps et serrer plus la ceinture. Vérifiez que la nuque est en ligne avec la colonne

vertébrale, le menton rentré. Un petit support sous la tête surélèvera celle-ci par rapport aux talons.

3 Laissez pendre les bras le long du corps et fermez les yeux, dirigeant votre attention au tréfonds de votre être. Assouplissez le ventre. Relaxez toute tension dans les articulations coxo-fémorales en ouvrant la face interne des cuisses à la force de gravité. Maintenez pendant cinq ou dix minutes, en respirant régulièrement.

4 La variante suivante est plus facile. Couchez-vous sur le plancher dans la posture du Cadavre (page 310). Joignez la plante des pieds au niveau de l'aine et laissez tomber les genoux sur les côtés.

INFORMATION

CONTEMPLATION. Intérieure.

PRÉPARATION. L'Enfant en extension.

COMPENSATION. L'Enfant, le Héros.

SIMPLIFICATION. a) Soutenez chaque genou avec des couvertures pliées. **b)** Renversez-vous sur un support plus élevé.

EFFET. Nourrissant.

Essayez de trouver la meilleure distance talon/aine. Reposez-vous, les bras détendus le long du corps. Laissez la nuque s'allonger, menton rentré.

La Guirlande

Malasana Cet accroupissement marqué,
pieds joints, est extrêmement bénéfique
pour les muscles, les organes et les tissus
mous du périnée. Les jambes sont vivifiées,
les hanches ouvertes, la région lombaire de
la colonne vertébrale étirée tout en étant
soutenue. Cette posture simple est souvent
difficile pour les Occidentaux, peu habitués
à s'accroupir.

1 Tenez-vous debout, pieds écartés de la
largeur des hanches, et penchez-vous
en avant jusqu'à prendre la posture de la
Flexion longue reposante (page 313).
Tournez les orteils en dehors, fléchissez les
genoux, levez les talons et abaissez les fesses
en vous accroupissant. Écartez largement les
genoux pour qu'ils se positionnent au-dessus
des orteils.

2 Tendez les mains. Posez les
doigts sur le plancher pour
aider le transfert du poids du
corps à travers le bassin afin de

(3)

reculer les hanches en les abaissant. Descendez les talons plus près du plancher.

3 Joignez les pieds pour que les gros orteils se touchent et abaissez-vous encore plus. Imaginez que vous avez un poids attaché au coccyx, qui favorise cet accroupissement. Penchez-vous en avant et, si possible, posez les avant-bras sur le plancher, doigts pointant en avant. Si c'est facile, glissez les avant-bras en dessous des jambes, doigts vers l'arrière. Attrapez les talons et pliez davantage le torse.

INFORMATION

CONTEMPLATION. Le bout du nez.

PRÉPARATION. Le Cordonnier, Posture de l'angle assis, la Tête au genou.

COMPENSATION. Le Héros, le Bâton assis, l'Étirement de l'est.

SIMPLIFICATION. a) Restez à une étape précédente. Placez une couverture pliée sous les talons. **b)** Utilisez une ceinture pour vos mains derrière le dos.

EFFET. Centrant.

4 Pour la posture complète, tournez les épaules vers l'intérieur pour placer un bras à la fois sous les tibias, dos de la main sur le sacrum. Agrippez les doigts. Posez les talons sur le plancher. Cessez de vous critiquer vous-même. Soyez content de la variante que vous réussissez. Maintenez-la de cinq à dix respirations.

(4)

▲ La Vache

Gomukhasana Regardée d'en haut, cette posture ressemble à une tête de Vache, les pieds formant les cornes et les genoux le mufle. Il faut de la pratique pour que les pieds soient placés symétriquement afin de former une tête de vache et non pas de licorne ! Cette posture assouplit les hanches et les jambes, de même que les épaules

1 Il est préférable de s'échauffer d'abord les hanches dans la posture de la Cheville au genou. Asseyez-vous en tailleur, jambe gauche au-dessus, cheville sur le sommet du genou droit. La cheville droite est en dessous du genou gauche, les tibias forment un triangle avec les cuisses. Fléchissez les talons en activant les muscles de la face interne de la cuisse et du mollet. Laissez la gravité faire descendre le genou gauche. Penchez-vous en avant et glissez les mains sur le plancher pour accentuer l'ouverture de la hanche. Maintenez une minute. Changez de côté.

2 Asseyez-vous sur le plancher, pieds écartés et genoux un peu fléchis. Amenez le pied droit sous le genou gauche, rapprochez le talon de la hanche gauche, orteils pointant vers la gauche. Ramenez le pied gauche près de la hanche droite, orteils pointant vers la droite. Le genou

①

gauche doit maintenant être au-dessus du droit. Si vous n'y arrivez pas, exercez-vous à ouvrir les hanches par les pratiques de préparation à cette présente posture (page 140) et à la Flexion bloquée en demi-lotus (page 146). Le poids du corps est également réparti sur les fesses. Appuyez des deux mains le genou gauche pour le rapprocher du droit.

3 Tendez le bras gauche latéralement et faites tourner l'épaule vers l'intérieur pour que la paume et le pouce soient tournés vers le bas. Pliez le coude et amenez la main gauche derrière le dos, paume vers l'extérieur. Levez le bras droit en l'étirant, puis faites-le descendre pour que le pouce pointe vers le bas. Pliez le coude droit de sorte que les mains se serrent derrière le dos. Reculez le coude droit, en le rapprochant derrière la tête de la ligne de centre du corps et relevez la poitrine. Vue frontale Ⓐ , vue arrière Ⓑ . Relâchez les mains, puis les jambes. Répétez de l'autre côté.

INFORMATION

CONTEMPLATION. Vers le haut.

PRÉPARATION. Flexion dans la posture facile, le Demi-lotus, Flexion de la tête de vache.

COMPENSATION. Le Héros, l'Enfant en extension, le Bâton assis.

SIMPLIFICATION. a) Asseyez-vous sur un coussin ou une couverture pliée. **b)** Tenez une ceinture entre les mains et rapprochez celles-ci peu à peu.

EFFET. Centrant.

❸ Ⓐ

❸ Ⓑ

Flexion de la tête de vache

Gomukha Paschimottanasana Il semble impossible de "tricher" pour cette posture. La jambe supérieure qui appuie sur la cuisse bloque tout fléchissement inconscient du genou et accroît l'intensité de la posture. La position des bras minimise l'arrondi du dos et fait travailler les muscles de la partie supérieure de la colonne vertébrale.

1 À partir de la posture du Bâton assis (page 104), pliez la jambe droite et posez-la sur la cuisse gauche pour que les orteils pointent de côté. Le genou droit est posé sur le sommet du genou gauche.

2 Levez haut le bras droit. Détendez l'articulation de l'épaule. Faites tourner celle-ci vers l'intérieur pour que les auriculaires pointent en avant. Pliez le coude pour faire descendre la main

droite entre les omoplates. Étirez le bras gauche latéralement et tournez-le vers l'intérieur pour que le pouce pointe vers le bas, puis passez la main gauche dans le dos afin d'attraper la 3 main droite.

3 Levez la tête et rentrez le menton, en gardant la nuque allongée. Dirigez le coude qui est au-dessus vers le plafond et derrière la tête, plus près de la ligne de centre du corps.

4 Asseyez-vous bien droit. Écartez le torse du bassin. Si vous êtes à l'aise, rentrez le bas du ventre sur l'expiration en étirant le torse le long des jambes pour placer les côtes flottantes entre le sommet des genoux. Utilisez les muscles abdominaux pour aller davantage vers le haut et le bas. Maintenez pendant cinq respirations, en ouvrant les épaules à mesure que vous vous étirez en avant. La position des bras a incité votre dos à rester relativement droit. Maintenant, sans voûter le dos, relâchez les bras, attrapez le pied

INFORMATION

CONTEMPLATION. Les orteils avancés.

PRÉPARATION. Long étirement des jambes, la Vache, Long étirement des jambes croisées, Demi-torsion spinale assis, les exercices d'ouverture de la hanche de la Flexion bloquée en demi-lotus.

COMPENSATION. L'Étirement de l'est, la Sauterelle.

SIMPLIFICATION. a) Laissez le genou supérieur dans les airs, la plante du pied sur le sol. **b)** Ne vous penchez pas en avant. **c)** Avancez les mains ensemble en attrapant une ceinture souple.

EFFET. Élargissant.

(ou la jambe) avancé et penchez-vous encore plus en avant. Sur l'inspiration, levez la partie supérieure du corps et passez les bras au-dessus de la tête. Abaissez-les sur l'expiration et revenez à la position du Bâton assis. Répétez de l'autre côté.

Flexion du Sage A

Marichyasana A Cette posture étire les muscles longs de la partie postérieure des cuisses, ouvre les cuisses et stimule la circulation sanguine dans la région pelvienne et abdominale.

1 Asseyez-vous dans la posture du Bâton assis (page 104). Fléchissez le genou droit et ramenez le talon devant la fesse, de sorte que les orteils pointent droit devant. Laissez un espace de 5 à 8 cm entre le pied droit et la face interne de la cuisse gauche. Essayez de rapprocher le tibia, en glissant à chaque fois le talon plus près de la fesse.

2 Appuyez la main gauche sur le plancher derrière vous, pour favoriser la flexion du bassin. Vous pouvez même lever les fesses du plancher pour aider ce mouvement. Tendez le bras droit par-dessus la face interne de la jambe droite pour amener l'aisselle contre le tibia. Faites tourner l'épaule droite vers l'intérieur, de sorte que le pouce pointe vers l'intérieur et vers le bas.

3 Ramenez la main, entourant du bras le genou plié. Le bras droit verrouillé en place, abaissez les fesses sur le plancher.

③

④

4 Tendez le bras gauche en avant, faites tourner l'épaule vers l'intérieur et placez-le derrière vous pour que la main droite attrape le poignet gauche. Expirez, allongez la partie antérieure du corps, penchez-vous en avant et laissez un espace entre les côtes flottantes et les os des hanches. Tendez la tête vers les orteils et laissez le menton reposer sur le tibia gauche. Maintenez l'énergie de la jambe gauche, genou et orteils pointant sur le côté. Appuyez la face postérieure de cette jambe contre le plancher. Poussez la plante du pied droit contre le plancher et travaillez la jambe comme si elle vous aidait à vous lever. Gardez les épaules parallèles au plancher et éloignez les poignets de votre dos, comme pour tendre les bras. Maintenez pendant dix respirations ou plus. Expirez, lâchez les mains et revenez à la position du Bâton assis avant de répéter de l'autre côté.

INFORMATION

CONTEMPLATION. Les orteils.

PRÉPARATION. La Tête au genou, Long étirement des jambes, le Sage tenu.

COMPENSATION. L'Étirement de l'est.

SIMPLIFICATION. a) Utilisez une ceinture pour joindre les mains derrière le dos. **b)** N'effectuez pas de flexion en avant. **c)** Cette posture peut être transformée en torsion en tournant le tronc vers la gauche (loin du genou fléchi), au lieu de se pencher en avant.

EFFET. Apaisant, ancrant.

Flexion
bloquée en demi-lotus

Ardha Baddha Padma
Paschimottanasana
Cette flexion ouvre les hanches et les
genoux et étire la colonne vertébrale.
Les organes abdominaux sont tonifiés
lorsque la circulation vers le bassin est
accrue. La position du talon profite aussi
au système digestif.

1 Beaucoup trouvent utile d'échauffer les
hanches en serrant une jambe contre la
poitrine, genou et pied soutenus. Placez le
pied et le genou au creux du coude et entrelacez les doigts. Travaillez sur l'articulation
coxo-fémorale en déplaçant lentement d'un
côté sur l'autre la jambe pliée. Faites passer
lentement la hanche par toute sa gamme de
mouvements. Répétez de l'autre côté.

2 Asseyez-vous sur le plancher, jambes
tendues dans la posture du
Bâton assis (page 104).
Fléchissez le genou gauche

comme pour l'échauffement. Pour amener la
jambe dans la position du Demi-lotus
(page 152), tenez le pied gauche près du
nombril et laissez avancer le
genou gauche en le descendant
progressivement vers le sol (de
sorte à sentir le col du fémur
rouler dans l'articu-
lation coxo-fémorale
lorsque vous carrez
les hanches en avant.).

INFORMATION

CONTEMPLATION. Les orteils avancés ou le bout du nez.

PRÉPARATION. Le Cordonnier incliné, la Tête au genou, la Vache, la Guirlande.

COMPENSATION. Flexion la jambe pliée, l'Étirement de l'est.

SIMPLIFICATION. a) Pratiquez seulement la première étape. **b)** N'entourez pas le corps avec les bras. **c)** Utilisez une ceinture autour du pied tendu et/ou de la cheville de la jambe pliée. **d)** Posez le bras tendu sur le genou. **e)** Placez la plante du pied de la jambe pliée sur le plancher et non pas sur le sommet de la cuisse.

EFFET. Apaisant.

3 Posez la face externe de la cheville sur le sommet de la cuisse droite. Si seul le bord extérieur du pied gauche atteint la cuisse, les ligaments risquent d'être étirés excessivement. Mieux vaut pratiquer les postures d'ouverture de la hanche pour se préparer à cette position.

4 Sur l'expiration, tournez le torse à gauche en faisant pivoter vers l'intérieur l'épaule gauche. Passez l'avant-bras gauche derrière la taille pour que les doigts attrapent les orteils du pied gauche.

5 Déroulez la colonne vertébrale avant d'incliner la partie supérieure du corps depuis les hanches, en ramenant la poitrine vers la cuisse droite et en attrapant le pied droit de la main droite. Agrippez le gros orteil gauche avec le pouce et l'index gauches.

6 Maintenez pendant cinq à dix respirations. Continuez à avancer la poitrine et faites descendre les omoplates. Étirez la face antérieure du corps. Inspirez pour quitter la position et répétez de l'autre côté.

⑤

Le Sage B

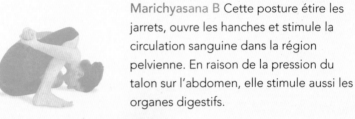

Marichyasana B Cette posture étire les jarrets, ouvre les hanches et stimule la circulation sanguine dans la région pelvienne. En raison de la pression du talon sur l'abdomen, elle stimule aussi les organes digestifs.

1 Asseyez-vous dans la posture du Bâton assis (page 104). Fléchissez le genou gauche et levez le pied autant que possible sur la cuisse droite, dans la position du Demi-lotus (page 152). Pour préparer celle-ci, voyez la Flexion bloquée en demi-lotus (page 146).

2 Fléchissez le genou droit et ramenez le pied devant la fesse. La plante du pied appuie contre le plancher, orteils pointant en avant. Laissez de 5 à 8 cm entre le pied droit et la face interne de la cuisse gauche. Expirez et tendez le bras droit sur la face interne de la cuisse droite.

Faites pivoter l'épaule vers l'intérieur de sorte que les coudes pointent vers l'extérieur. Les côtes droites sont au-delà de la cuisse lorsqu'on appuie la main gauche sur le plancher derrière soi, afin

d'accentuer au maximum cette flexion.

3 Portez le bras droit vers la droite, en
le passant autour du genou fléchi,
puis derrière le dos.

4 Expirez et penchez-vous en avant,
ramenant le front vers le plancher.
Gardez les épaules parallèles au sol, torse
allongé, dos bien droit. Éloignez les
poignets du dos. Maintenez pendant dix
respirations ou plus.

5 Expirez, libérez les mains, asseyez-
vous bien droit, redressez les jambes,
puis répétez de l'autre côté.

INFORMATION

CONTEMPLATION. Le bout du nez.

PRÉPARATION. Flexion du Sage
A, le Demi-lotus, Flexion bloquée
en demi-lotus.

COMPENSATION. L'Étirement de
l'est.

SIMPLIFICATION. a) N'effectuez pas
l'étape finale. **b)** Utilisez une ceinture
pour unir les mains derrière le dos.
c) Au lieu d'unir les mains derrière
le dos, faites-leur tenir le genou
droit et asseyez-vous bien redressé.

EFFET. Apaisant.

La Tête au genou orteils étirés

Janu Sirsasana C Cette posture agit fortement sur les articulations des orteils, des hanches et des genoux. Elle étire les muscles longs de la partie postérieure des cuisses et les tendons d'Achille et tonifie les organes abdominaux.

1 Asseyez-vous dans la posture du Bâton assis (page 104). Fléchissez le genou droit. Attrapez le talon de la main gauche et les orteils de la main droite. (L'avant-bras droit se trouve entre la cuisse et le mollet droit.) Amenez les orteils devant le périnée, en les tirant vers le corps avec la main **1** droite, tandis que la gauche pousse le talon en avant pour lui faire prendre une position verticale. C'est une posture difficile pour beaucoup de gens. Ceux incapables de se pencher à ce point s'exerceront à s'asseoir bien droits. La plupart s'en tiendront là pour cette posture.

2 Effectuez la torsion que cette position exige en faisant pivoter l'abdomen vers la gauche. Sur l'inspiration, étirez la main et l'épaule droite afin d'attraper le bord interne du pied gauche.

3 En expirant, penchez-vous en avant pour reposer la tête sur le tibia gauche. Étirez le sommet de la tête vers les orteils.

4 Agrippez de la main gauche le poignet droit passé derrière le pied. Si vous êtes très flexible, posez le menton sur le tibia et regardez droit devant. C'est la posture complète de la Tête au genou orteils étirés.

5 Quel que soit le point que vous atteignez, contractez les muscles du bas-ventre (voir Verrou abdominal, page 338) à chaque inspiration. Cela permettra à la poitrine de se dilater un peu plus à chaque expiration – comme si vous éloignez vos côtes flottantes en les faisant glisser sur la cuisse vers le genou.

6 Inspirez pour quitter la position. Revenez à la posture du Bâton assis, puis répétez de l'autre côté.

INFORMATION

CONTEMPLATION. Le gros orteil avancé.

PRÉPARATION. La Tête au genou, le Cordonnier, Flexion orteils étirés.

COMPENSATION. Le Bâton assis et le Bateau, les deux en étirant les orteils et en se déroulant complètement à travers les genoux. L'Étirement de l'est.

SIMPLIFICATION. a) N'effectuez pas l'étape finale. **b)** Tenez la cuisse, le mollet ou la cheville de la jambe tendue si vous ne pouvez pas atteindre le pied, ou passez une ceinture souple autour du sommet du pied.

EFFET. Apaisement.

Le Lotus

Padmasana La plus classique des postures yoga. En diminuant la circulation (et donc les sensations détournant l'attention) dans les jambes, c'est l'une des meilleures positions pour la méditation et le *pranayama*. Le Bouddha est souvent représenté assis dans la posture du Lotus.

1 Pratiquez la posture du Lotus après avoir effectué les positions préparatoires présentées en détail pour la Vache (page 140) et la Flexion bloquée en demi-lotus (page 146).

2 Mettez-vous dans la posture du Bâton assis (page 140). Fléchissez le genou droit et maintenez le pied des deux mains. À partir de cette position, faites rouler la tête du fémur dans l'articulation coxo-fémorale, de sorte que le genou droit pointe en avant (et non pas sur la droite) et que les os iliaques se rapprochent. Remontez le pied droit aussi haut que possible sur la cuisse gauche, talon proche du nombril. Cette position est parfois appelée le Demi-lotus. Placez vos mains sur le tibia et la cuisse, près du genou, et comprimez-les ensemble, faisant passer une force bénéfique à travers ce dernier.

3

3 Fléchissez le genou gauche. Même si vous avez envie de faire monter le pied gauche sur le genou droit aussi haut que possible, choisissez plutôt l'expiration, ce genou assez proche du plancher pour que la cheville gauche puisse glisser par-dessus et le long de la cuisse Ⓐ. La plante des pieds est tournée vers le haut Ⓑ. Si vous ressentez une douleur dans les genoux, exercez-vous aux postures préparatoires. Comme la posture du Lotus impose une légère courbure au bas du dos, changez à chaque séance la jambe repliée en premier.

AVERTISSEMENT

Selon le *Hatha Yoga Pradipika*, "la posture du Lotus guérit toutes les maladies". Toutefois, elle exige des genoux et des hanches souples. Beaucoup d'Occidentaux la tiennent pour une posture très avancée, ne convenant pas aux débutants. Il faut plus d'une décennie d'exercice pour l'assumer sans danger. Ne forcez jamais les jambes dans cette posture, car vous risquez d'endommager gravement vos genoux. Par une pratique constante, les hanches et les genoux deviennent peu à peu assez flexibles pour que vous soyez confortablement assis.

INFORMATION

CONTEMPLATION. Droit au-dessus de la tête avec un regard qui ne vacille pas, ou les yeux fermés.

PRÉPARATION. La Posture parfaite, le Cordonnier, préparation pour le Demi-lotus, la Vache, Flexion bloquée en demi-lotus, Le Sage B, Torsion maintenue du Sage.

COMPENSATION. Le Héros, le Bâton assis.

SIMPLIFICATION. a) Ramenez le pied gauche sous la jambe droite et non pas au-dessus. **b)** Une simple position en tailleur convient aux pratiques assises.

EFFET. Apaisant, méditatif.

Le Lotus soutenu

Baddha Padmasana Pour cette suite de
la posture du Lotus (page 152), les mains
croisées derrière le dos visent à agripper
les pieds. Cette position tire fortement les
épaules en arrière, ouvre la poitrine
et atténue la courbure de la partie
supérieure de la colonne vertébrale.
La variante penchée en avant aide
aussi la digestion.

1 Asseyez-vous dans la posture du Lotus
(page 152), jambe droite repliée en
premier. En assumant cette position,
rapprochez les genoux et remontez les
talons sur les cuisses autant que
possible, de sorte que les
pieds dépassent légèrement.

2 Passez la main gauche
derrière le dos.
Penchez-vous en avant
pour attraper le gros
orteil gauche. Tournez le
torse vers la gauche et, si

nécessaire,
servez-vous de
la main droite
pour tirer sur le
poignet gauche. Assurez
la prise en tirant le talon
vers l'abdomen.

3 Avec une torsion vers la
droite, levez le bras

②

droit et passez-le derrière le dos et au-dessus du bras gauche, en rapprochant les coudes. Attrapez le pied droit de la main droite. Au debout, inclinez-vous légèrement en avant pour assurer la prise sur le pied gauche. Tenez-vous assis bien droit, abdomen rentré, épaules tirées en arrière, poitrine relevée, visage tourné vers le ciel.

4 Une nouvelle posture est créée en se penchant en avant, en repliant le torse sur les talons pour poser le menton sur le plancher, mains toujours serrées. C'est la position du Sceau du yoga, variante plus difficile de la Posture parfaite (page 112). Quittez la

posture sur l'inspiration, relâchez les mains, puis redressez les jambes et répétez de l'autre côté.

Le Fœtus
dans la matrice

Garbha Pindasana Dans cette suite de la posture du Lotus (page 152), les mains sont insérées entre les cuisses et les mollets. En plus des bienfaits habituels du Lotus, cette posture tonifie les organes abdominaux. Avant de l'effectuer, il est essentiel de maîtriser le Lotus.

1 Asseyez-vous dans la posture du Lotus (page 152), jambe droite repliée en premier. Assurez-vous que les genoux sont rapprochés et les talons placés haut sur les cuisses.

2 Insérez la main droite entre la cuisse et le mollet droit. Si vos jambes sont assez charnues – et votre posture du Lotus très avancée –, cet interstice est très étroit. Il est utile d'humecter l'avant-bras d'eau chaude avant d'essayer de le faire passer. Poussez doucement le bras.

3 Insérez la main gauche entre la cuisse et le mollet gauches, jusqu'à ce que vous arriviez à fléchir le coude. Tirez les

③

④

quelques longues respirations. Inspirez, libérez les bras, fortifiez les jambes, puis répétez de l'autre côté.

4 À partir de cette position, les pratiquants avancés de l'Ashtanga Vinyasa yoga (page 385) roulent en avant et en arrière sur le dos, se tournant un peu à chaque fois, jusqu'à ce qu'ils aient accompli un cercle complet. Utilisez une surface rembourrée. L'élan de la dernière rotation ramène à la posture du Coq, où les bras soutiennent tout le poids du corps.

genoux vers la poitrine, pliez les coudes et prenez le visage dans vos mains, si possible, doigts sur les oreilles. Maintenez l'équilibre sur les os iliaques pendant

INFORMATION

CONTEMPLATION. Le bout du nez.

PRÉPARATION. Le Lotus.

COMPENSATION. Le Héros, l'Étirement de l'est.

SIMPLIFICATION. a) Au lieu de faire passer les bras entre les jambes, passez-les autour de celles-ci, en amenant les genoux vers la poitrine.

EFFET. Apaisant.

④

La Planche

Kumbhakasana Dans cette posture, le corps est fort et droit comme une planche. Similaire à une montée, cette position fortifie les bras et les poignets et tonifie les muscles abdominaux. La partie supérieure du dos est parfaitement élargie, améliorant l'oxygénation des muscles et l'élimination de la tension entre les omoplates.

1 Agenouillez-vous sur le plancher, mains écartées de la largeur des épaules. Placez-les devant les épaules et portez sur elles une plus grande partie de votre poids. Poussez fort sur les paumes, comme si vous vouliez rendre les bras plus longs. Faites monter les vertèbres situées entre les omoplates, pour que la peau s'étire et la partie supérieure du dos s'élargisse. Gardez la nuque allongée, le visage vers le bas et le menton légèrement rentré. Faites travailler pleinement vos muscles abdominaux en les tirant vers la colonne vertébrale. C'est la posture de la Planche à genoux.

CONTEMPLATION. Le bout du nez.

PRÉPARATION. Le Chien museau vers le sol, le Bâton soutenu sur les membres.

COMPENSATION. La Sauterelle, le Pont soutenu, Assouplissements des poignets.

SIMPLIFICATION. a) Restez à la première étape, la Planche à genoux. **b)** Maintenez un laps de temps plus court.

EFFET. Fortifiant.

2 Tenez-vous sur la pointe des pieds et relevez les genoux. Alignez les hanches pour que tout le corps soit sur un seul plan, depuis l'occiput aux talons, en passant par le sacrum. Ne tombez pas trop les hanches – si vous vous affaissez, bandez les muscles abdominaux. Si les fesses ressortent comme une montagne, vérifiez le positionnement de vos épaules. Portez votre poids en avant, pour que les épaules se placent au-dessus des poignets – si nécessaire, avancez les mains.

3 Arrondissez le haut du dos pour l'élargir et les omoplates et les écarter. Serrez les fesses et tirez en douceur le pubis vers la colonne vertébrale. Contractez depuis le le bas de l'abdomen jusqu'aux côtes flottantes. Tombez le coccyx. Appuyez les paumes sur le plancher avec une même force. Maintenez pendant cinq respirations. À partir de la posture de la Planche, vous pouvez descendre dans la posture du Bâton soutenu sur les membres (page 160) ou vous lever dans la posture du Chien museau vers le sol (page 162).

Le Bâton soutenu sur les membres

Chaturanga Dandasana Lors de cette posture fortifiante, appelée aussi le Crocodile, le poids du corps repose sur les mains et les pieds. Elle fait travailler les bras, les poignets et les épaules, outre tonifier l'abdomen. C'est l'une des postures comprises dans les séquences de la Salutation au Soleil (page 42).

1 Couchez-vous sur le ventre. Pliez les coudes et placez les mains à plat sur le plancher en dessous des épaules, doigts pointant en avant. Recroquevillez les orteils, pieds écartés d'environ 25 cm.

2 Bandez les muscles abdominaux et soulevez-vous du plancher, poids reposant entièrement sur les mains et les orteils, poitrine entre les pouces.

Maintenez le corps sur une ligne droite. Rentrez l'abdomen pour que le ventre ne traîne pas lorsque vous vous soulevez ! Cela empêche l'affaissement dans cette posture. Les fesses ressortent très peu. Envoyez une ligne d'énergie en arrière à travers les talons et en avant à travers le sommet de la tête. Rapprochez les coudes du corps. Restez ainsi pendant dix respirations ou plus.

3 Une variante : expirez et roulez en avant sur les orteils, pour que le poids soit soutenu uniquement par le sommet des pieds et les mains, ce qui appuie davantage sur les épaules et les bras. À partir de cette position, vous pouvez soit revenir à la position de départ soit, comme pour la séquence B de la Salutation au Soleil (page 42), redresser les coudes et continuer jusqu'à la posture du Chien museau vers le ciel (page 244).

4 Pour arriver à la posture du Bâton soutenu sur les membres à partir de la posture de la Planche (page 158), durcissez l'abdomen et avancez les épaules au-delà du bout des doigts, tout en pliant les coudes à angle droit. Pour éviter l'impression d'atterrissage brutal, la poitrine doit avancer et le nez se rapprocher du plancher, devançant de quelque 30 cm le bout des doigts.

INFORMATION

CONTEMPLATION. Le bout du nez.

PRÉPARATION. La Planche.

COMPENSATION. Le Chien museau vers le ciel, Assouplissements des poignets.

SIMPLIFICATION. a) Ne roulez pas en avant à la dernière étape. **b)** Fléchissez les genoux et laissez-les toucher le plancher, le poids sur les mains. **c)** Le poids du corps repose sur les mains qui s'appuient le plancher.

EFFET. Énergisant.

Le Chien
museau vers le sol

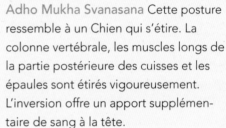

Adho Mukha Svanasana Cette posture ressemble à un Chien qui s'étire. La colonne vertébrale, les muscles longs de la partie postérieure des cuisses et les épaules sont étirés vigoureusement. L'inversion offre un apport supplémentaire de sang à la tête.

1 Tenez-vous dans la posture de la Montagne (page 46). Inspirez en levant les bras au-dessus de la tête. Expirez et penchez-vous en avant depuis les hanches dans la Flexion debout (page 68), mains derrière les pieds. Inspirez et regardez devant vous, en relevant la poitrine couchée sur les cuisses. Sur l'expiration, reculez le pied droit, puis le gauche (ou sautez légèrement en arrière, pieds joints). Écartez les pieds et les mains d'au moins 90 cm.

2 Écartez les pieds de la largeur des hanches, les jambes droites et solides.

Les médius pointent en avant pour que le poids du corps ne repose pas uniquement sur le tranchant des mains. Appuyez les paumes sur le plancher avec une même force et rapprochez la poitrine des cuisses à mesure que les fesses se lèvent en étirant la colonne vertébrale. Reculez et levez les hanches, les éloignant des poignets.

3 Une fois l'extension maximale de la colonne vertébrale atteinte, ouvrez la face postérieure des jambes. Appuyez sur les talons et redressez complètement les genoux, sans les bloquer. Si la plante des

INFORMATION

CONTEMPLATION. Le nombril.

PRÉPARATION. Flexion debout, la Vache (épaules), la Planche, Flexion les jambes écartées (poignets).

COMPENSATION. La Montagne, Assouplissements des poignets,

Équilibre debout en demi-arc.

SIMPLIFICATION. a) Fléchissez les genoux vers la poitrine. **b)** Ramenez les genoux vers le plancher, fesses haut dans les airs, et étirez le bras en avant.

EFFET. Fortifiant, revigorant.

pieds entre entièrement en contact avec le plancher, reculez-les davantage pour accroître la difficulté.

4 Tournez les épaules vers l'extérieur pour que le haut du bras s'éloigne des oreilles. Le sommet de la tête se rapproche du plancher, si bien que la nuque s'allonge. Rentrez le menton et regardez le nombril.

5 Restez ainsi pendant dix à trente respirations, en respirant régulièrement et profondément pour revivifier l'ensemble du corps. Relâchez sur l'inspiration, en faisant un pas ou en sautant les pieds joints entre les mains, regard fixé droit devant.

Expirez dans la Flexion debout, tête vers les genoux, puis inspirez et levez les bras et la partie supérieure du corps dans la posture de la Montagne.

Séquence main aux orteils en pivotant

Supta Padangusthasana Cette posture étire les muscles longs de la partie postérieure des cuisses, assouplit les jambes et les articulations coxo-fémorales, détend le bas du dos. Comme le dos est solidement maintenu, le risque de lombalgie qui accompagne parfois une flexion assise ou debout diminue.

1 Couchez-vous sur le dos, pieds joints. Ramenez la jambe droite en haut sans plier le genou. Attrapez le gros orteil entre l'index et le médius de la main droite (ou servez-vous d'une ceinture). Posez la paume gauche sur la cuisse gauche, la laissant agir comme un rappel : les muscles de la cuisse doivent appuyer celle-ci vers le bas et s'assurer

qu'elle ne tourne pas vers l'extérieur. Maintenez le pied gauche actif, soit en pointant les orteils, soit en fléchissant fortement la cheville pour éloigner le talon. Si nécessaire, allongez-vous perpendiculairement à un mur et appuyez le talon dessus.

2 Après une ou deux minutes, levez la tête et relevez la poitrine vers le genou droit à l'aide des muscles abdominaux.

Rapprochez en même temps la jambe droite du torse, de sorte à toucher de la tête le tibia droit.

③

Maintenez pendant cinq respirations.

3 Abaissez l'occiput sur le plancher et faites tourner vers l'extérieur la jambe droite, pour que les orteils pointent sur le côté. En maintenant les hanches au même niveau, abaissez la jambe vers la droite. À un certain point, la jambe gauche risque de perdre son ancrage et de laisser une

impression de basculement. Si c'est le cas, établissez de nouveau un fort ancrage en poussant la cuisse et le talon gauches. Revenez lentement à votre maximum. Tournez la tête vers la gauche. Maintenez pendant cinq à dix respirations lentes.

4 Ramenez la jambe droite au centre et attrapez la face interne du pied de la main gauche. Faites tourner la jambe et les orteils vers l'intérieur. Placez le pouce droit dans le pli de l'aine. Appuyez dessus pour maintenir la longueur du côté droit de la taille. Passez la jambe droite par-dessus le corps vers la gauche, en gardant le côté droit du sacrum ancré sur le plancher. Tournez la tête pour regarder vers la droite. Maintenez pendant cinq à dix respirations. Répétez de l'autre côté.

④

INFORMATION

CONTEMPLATION. Le gros orteil /latéralement.

PRÉPARATION. Flexions assises.

COMPENSATION. Le Pont soutenu.

SIMPLIFICATION. a) Tenez la cheville et non pas le gros orteil.
b) Attrapez une ceinture passée autour de l'éminence métatarsienne du pied levé.

EFFET. Reposant.

Le Dieu singe

Hanumanasana Cette posture difficile mais gracieuse, qui ressemble au grand écart des danseurs et des gymnastes, étire fortement les muscles des parties antérieure et postérieure des cuisses. Son nom sanskrit vient du très populaire dieu singe Hanumân, qui exécutait d'extraordinaires bonds au service de son maître Rama.

1 Agenouillez-vous sur le plancher et avancez la jambe droite. Posez les mains sur le plancher, des deux côtés du corps. Redressez la jambe droite et glissez le talon en avant jusqu'à ce que les muscles de la cheville touchent le plancher.

2 Reculez en même temps, le genou et le pied gauches en les faisant glisser, orteils pointés en arrière, jusqu'à ce que la cuisse droite touche le plancher. Appuyez sur les jambes et les hanches. Avancez la hanche gauche pour l'aligner à la droite. La jambe avancée doit pointer droit devant. La rotule est tournée vers le haut.

INFORMATION

CONTEMPLATION. Le bout du nez.

PRÉPARATION. Allongements, la Tête au genou, Flexion d'une jambe, l'Équilibre du cygne sur une jambe, le Héros à moitié couché, la Grenouille, le Croissant de lune.

COMPENSATION. Le Héros, le Cadavre.

SIMPLIFICATION. a) Gardez les mains sur le plancher. **b)** Placez des blocs de soutien sous le périnée ou les mains. **c)** N'effectuez pas de flexions en avant.

EFFET. Apaisant.

3 Une fois les jambes tendues, asseyez-vous sur le plancher et joignez les mains dans la position de la prière, devant la poitrine, ou bras levés dans les airs. Restez dans cette position pendant dix respirations ou plus Ⓐ . Pliez-vous en avant sur l'expiration, attrapez le poignet gauche de la main droite par-derrière le pied, en posant la tête sur le tibia droit Ⓑ .

③ Ⓑ

4 Pour quitter la posture, posez les mains des deux côtés du corps. Relevez celui-ci en vous appuyant sur les mains et en rapprochant les jambes. Alternez les jambes pour répéter de l'autre côté, en maintenant pendant le même laps de temps. Souvent, les gens ont plus de mal avec un côté. Dans ce cas, maintenez la posture du côté raide pour une plus longue durée.

③ Ⓐ

Jambe derrière la tête assis

Eka Pada Sirsasana Cette posture travaille sur les hanches et stimule la circulation sanguine vers les régions pelvienne et abdominale. Flexion extrême, elle impose beaucoup de pression au bas du dos et au cou. Pratiquez-la avec prudence.

1 Mettez-vous dans la posture du Bâton assis (page 104). Tirez le genou droit vers le haut et attrapez le pied de la main gauche. Placez la main droite sur le plancher à côté de la hanche droite, bras à l'intérieur du genou.

droite que possible pour pouvoir passer à l'étape suivante.

2 Ramenez le genou droit à sa place et tendez la jambe, faisant peu à peu reculer la main droite et tirant le genou aussi loin derrière l'épaule

3 Expirez, attrapez le mollet de la main droite et faites reculer encore plus toute la jambe. Levez des deux mains le pied droit derrière la tête. Gardez la jambe

①

INFORMATION

CONTEMPLATION. Le bout du nez.

PRÉPARATION. La Tortue et la Tortue endormie, le Cobra sur une jambe.

COMPENSATION. Le Cadavre, l'Étirement de l'est, le Chameau.

SIMPLIFICATION. a) Ne placez pas le pied derrière la tête.
b) Soutenez le menton des deux mains pour ramener le cou dans la position verticale finale.
c) N'effectuez pas l'étape finale.

EFFET. Apaisant.

gauche tendue, orteils pointant vers le haut. Redressez le dos et le cou autant que possible, levez le menton pour regarder devant vous. Joignez les mains sur la poitrine dans la position de la prière.

4 Penchez-vous peu à peu en arrière, en gardant le pied gauche sur le plancher. Cette posture est appelée *Bhairava*, d'après un avatar du dieu hindou Shiva. Inspirez, oscillez pour revenir en position assise, relâchez la jambe droite et redressez-la. Répétez de l'autre côté.

La Tortue et la Tortue endormie

Supta Kurma Asana Dans ces postures, le dos ressemble à la carapace d'une tortue. Les postures étirent le bas du dos, tonifient les organes abdominaux, ouvrent les hanches et apaisent le système nerveux.

1 Mettez-vous dans la posture du Bâton assis (page 104). Fléchissez légèrement les genoux en roulant les jambes vers l'extérieur et écartez les pieds d'environ 60 cm. Penchez-vous en avant depuis les hanches et pivotez légèrement sur un côté puis sur l'autre, pour glisser tour à tour les bras sous les genoux. Oscillez de nouveau d'un côté sur l'autre pour rapprocher autant que possible les épaules des genoux. Tendez les bras latéralement.

2 Continuez à vous pencher en avant et à fixer le regard devant vous. Écartez les pieds en les faisant glisser, pour amener le menton et les épaules sur le plancher. Allongez l'avant du

③

corps, descendez la poitrine vers le plancher. Tendez les jambes, pivotez-les vers l'intérieur pour que les genoux pointent vers le haut. Levez les pieds du plancher – les genoux appuient sur les épaules et les font descendre. Dilatez la poitrine. C'est la Tortue. Restez ainsi dix respirations ou plus.

un peu d'un côté sur l'autre. Placez les mains derrière la région lombaire et serrez-les fermement. Déplacez tour à tour les pieds vers le centre et croisez les jambes au-dessus de la tête, au niveau des chevilles. C'est la posture de la Tortue endormie. Restez ainsi pendant dix respirations ou plus. Changez la position des pieds et répétez de l'autre côté pour la même durée.

3 Tournez les épaules vers l'intérieur et fléchissez les coudes pour ramener les bras près des hanches. Si nécessaire, oscillez

4 Inspirez, fléchissez un peu les genoux, tortillez les épaules pour les retirer de sous les genoux. Revenez en position assise.

INFORMATION

CONTEMPLATION. Le Troisième œil.

PRÉPARATION. Flexion les jambes écartées, la Posture d'angle assis, Séquence renversée de la main aux orteils, Jambe derrière la tête assis.

COMPENSATION. L'Étirement de l'est, le Chien museau vers le ciel, le Chien museau vers le sol.

SIMPLIFICATION. a) Posez le front sur le plancher dans la posture de la Tortue. **b)** Ne redressez pas les jambes dans la posture de la Tortue. **c)** Ne croisez pas les chevilles dans la posture de la Tortue endormie. **d)** Dans la posture de la Tortue endormie, joignez les mains grâce à une ceinture.

EFFET. Apaisant.

Le Sommeil yogique

Yoga Nidrasana C'est l'une des flexions les plus accentuées. Une fois maîtrisée, c'est une posture très relaxante, qui contribue à la santé globale du corps. Améliore la circulation sanguine vers la région abdominale et le système digestif.

1 Préparez le corps par une séquence de flexions. Une variante : couchez-vous sur le dos, tenez un pied des deux mains et rapprochez-le de votre front en appuyant les genoux vers le plancher. Après avoir pratiqué des deux côtés, essayez avec les pieds joints.

2 Allongez-vous sur le dos. Fléchissez les genoux et attrapez les chevilles ou, si possible, les talons. Commencez à tirer les genoux vers le plancher, près des aisselles, pendant que les pieds dépassent la tête. Le bas du dos quitte le plancher pour accentuer la flexion. Prenez votre temps et travaillez avec des expirations longues et régulières.

③ Quand vous êtes prêt, relevez la tête du plancher et glissez les mains sur l'extérieur des talons. Tirez tour à tour les épaules, pour que les genoux passent au-dessus d'elles. Si nécessaire, oscillez un peu d'un côté sur l'autre.

④ Croisez tour à tour les chevilles derrière la tête. Les jambes bloquées, remontez les épaules pour les amener au-dessus des genoux et ouvrez la poitrine. Éloignez les bras du torse et, en pivotant en dedans depuis l'épaule, faites revenir tour à tour les mains, puis agrippez-les derrière le dos. Relevez la poitrine et reposez la tête sur "l'oreiller" formé par les pieds. Restez dans cette position pendant dix respirations ou plus.

⑤ Desserrez les mains et répétez, les jambes croisées dans l'autre sens.

INFORMATION

CONTEMPLATION. Vers le haut.

PRÉPARATION. Jambe derrière la tête assis, la Tortue.

COMPENSATION. L'Étirement de l'est, le Chien museau vers le sol, Le Chien museau vers le ciel, le Chameau.

SIMPLIFICATION. Pratiquez une jambe à la fois.

EFFET. Apaisant.

Torsions & tonus abdominal

Le centre de gravité est situé dans l'abdomen, cavité qui abrite des organes vitaux. Les torsions apportent un sang frais, enrichi en oxygène, qui nourrit les organes abdominaux et les intestins. Associées à l'effet de massage, les torsions favorisent le fonctionnement sain de l'organisme, la digestion et l'élimination. La tonification des muscles abdominaux protège contre la douleur dans le bas du dos et est vitale pour une posture correcte.

La torsion permet de voir les choses sous
une nouvelle lumière. Elle équilibre le
corps en laissant aller la tension des
muscles spinaux. Quand on est
agité, les torsions tendent à
apaiser. Quand on est fatigué
et apathique, elles stimulent. La prochaine fois que la
vie vous blesse, effectuez une longue torsion en spirale
puis, à mesure que le corps se déroule, sentez la détente
de l'esprit.

▲

Les Jambes tendues

Urdhva Prasarita Padasana Cette
posture est un extraordinaire tonifiant
pour les fesses ! Elle fortifie les muscles
du bas du dos et de l'abdomen.
De nombreuses variantes existent :
expérimentez pour découvrir lesquelles
sont les plus difficiles et ce qui peut les
rendre plus simples.

1 Couchez-vous sur le dos, jambes tendues, bras au-dessus de la
tête, le dos des mains contre le plancher. En inspirant, étirez les
bras pour atteindre le plancher bien au-delà de votre tête et levez les
jambes vers le plafond. Rentrez le bas-ventre sur l'expiration et
rabaissez les jambes sur le plancher. Répétez de cinq à dix fois. Plus vous
travaillez lentement et de façon contrôlée, mieux c'est. Ne retenez pas
votre respiration, laissez-la circuler régulièrement, pour que votre
mouvement soit parfaitement en accord avec elle.

1

2 Faites descendre les jambes par étapes, en les maintenant pendant quelques respirations à 60° et à 30°, puis quand les talons sont à 5 cm du plancher. Les muscles abdominaux travaillent à leur maximum – persévérez lors de cette dernière étape. Respirez profondément et régulièrement. Maintenez les épaules détendues.

INFORMATION

CONTEMPLATION. Le bout du nez.

PRÉPARATION. Le Bateau, la Planche, l'Abdomen pivotant, le Poisson jambes tendues.

COMPENSATION. Posture de l'angle tenu renversé, le Cadavre.

SIMPLIFICATION. a) Fléchissez les genoux. **b)** Fléchissez les genoux et placez les pieds sur le plancher derrière les fesses. **c)** Maintenez les genoux avec les mains.

En expirant, pliez les coudes et tirez les genoux vers la poitrine. Sur chaque inspiration, ouvrez les bras au-dessus de la tête et étirez les pieds vers le plafond. **d)** Sur l'expiration, relaxez les jambes et les bras sur le plancher.

EFFET. Fortifiant.

Toutes les variantes peuvent être exécutées mains en dessous du sacrum ou paumes sur le plancher près des hanches.

Le Bateau

Navasana Cette posture est parmi les meilleures pour fortifier et tonifier les organes abdominaux. Elle fait aussi travailler les muscles du bas du dos. Au début très difficile, une pratique régulière vous profitera tôt ou tard.

1 Mettez-vous dans la posture du Bâton assis (page 104), mains près des hanches sur le plancher. Sur l'expiration, penchez légèrement le corps en arrière en fléchissant les genoux (tibias parallèles au sol). Maintenez les cuisses avec les mains. Cambrez davantage le bas du dos. Faites monter le chakra du cœur. Tendez les bras en avant, paumes se faisant face. Tirez les épaules en arrière et avancez la poitrine (vers les genoux), en élargissant le cœur lorsque vous vous étirez à travers les doigts. Maintenez ainsi pendant cinq à dix respirations. Ensuite, reposez-vous et répétez ou passez à l'étape 2.

INFORMATION

CONTEMPLATION. Les orteils.

PRÉPARATION. La Chaise, les Jambes levées, le Poisson jambes tendues.

COMPENSATION. Le Cadavre, l'Étirement de l'est.

SIMPLIFICATION. a) À la première étape, reposez légèrement les orteils sur le plancher. **b)** Gardez les genoux fléchis. **c)** Maintenez pendant un moindre laps de temps.

EFFET. Fortifiant.

2 Pour pratiquer complètement le Bateau à partir d'une position agenouillée, redressez lentement les jambes jusqu'à ce qu'elles soient entièrement tendues.

Les pieds sont plus haut que la tête. Les muscles abdominaux bandés, concentrez-vous à garder les jambes tendues et la partie supérieure du corps soulevée pour empêcher le dos de se voûter. Si vous êtes très robuste, entrelacez les doigts derrière la tête, coudes écartés, en faisant attention à ne pas affaisser le bas du dos ou tomber la poitrine vers le ventre. Après cinq à huit respirations, relâchez sur l'expiration.

La Posture facile tournée

Parivrtta Sukhasana C'est dans le chakra
du cœur qu'on ressent le bonheur. Dans
cette posture, le cœur est soutenu en
douceur par le bassin. Savourez la
sensation de plénitude qu'offre cette
posture.

1 Croisez les jambes et
écartez bien les talons,
pour que chacun repose près
du genou qui le surplombe, ou
sous lui. (Les tibias sont plus ou
moins parallèles.) Placez le
bout des doigts sur le
plancher, derrière les fesses,
pointant au loin.

2 Appuyez les fesses sur le sol avec
la même force et faites
doucement monter et descendre la
partie inférieure de la colonne
vertébrale. Laissez aller le
souffle jusqu'au périnée en
allongeant la colonne
vertébrale et les flancs.
Détendez le diaphragme
et laissez les poumons
descendre jusqu'à
effleurer l'abdomen.

❸

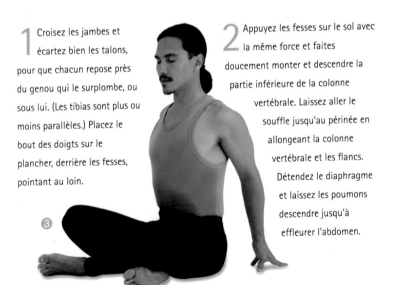

INFORMATION

CONTEMPLATION. Latéralement.

PRÉPARATION. Long étirement des jambes croisés.

COMPENSATION. Torsion sur le côté opposé, Long étirement des jambes croisées.

SIMPLIFICATION. a) Utilisez moins les bras. **b)** Une moindre torsion.

EFFET. Centrant.

3 Inspirez profondément à travers la base de la poitrine, qui se dilate. Respirez dans le cœur. Relaxez la partie supérieure de la poitrine. Rentrez doucement le menton. Notez la profondeur jusqu'à laquelle descend le souffle dans le torse. Peut-il remplir le bassin ?

4 Levez les bras vers le plafond. Déroulez-vous depuis les hanches jusqu'aux aisselles, puis jusqu'au bout des doigts. En gardant la partie supérieure du corps aussi longue et large que possible, expirez et tournez la poitrine vers la gauche. Surveillez pendant un instant les muscles qui contribuent à votre torsion.

5 En plaçant la main droite sur l'extérieur du genou gauche et la main gauche à côté de vous sur le plancher, un peu en arrière, accentuez la torsion. Gardez le menton légèrement rentré et les épaules au même niveau. Maintenez pendant dix respirations, en rentrant en douceur le périnée et en dilatant la poitrine sur l'inspiration. Accentuez la torsion sur l'expiration.

6 Relâchez sur l'inspiration et centrez-vous pendant un instant, yeux fermés, percevant les effets de cette torsion d'un côté. Répétez du côté opposé.

❺

Demi-torsion spinale assis

Ardha Matsyendrasana La pression de la cuisse contre l'abdomen masse les organes internes et favorise leur bon fonctionnement.

1 À partir de la posture du Bâton assis (page 104), fléchissez les genoux et placez les pieds sur le plancher. Le genou gauche fléchi, reculez le pied vers la fesse gauche, talon directement devant la fesse droite.

2 Placez la jambe droite au-dessus de la cuisse gauche pour que le pied se rapproche du genou gauche. Appuyez les fesses sur le plancher. Cambrez légèrement le bas du dos et en le levant un peu, déroulez la colonne vertébrale jusqu'au sommet de la tête. Pendant que le bout des doigts de la main droite appuie sur le plancher, inspirez et levez le bras gauche, l'étirant à travers les doigts.

3 Expirez et tournez l'abdomen et la poitrine vers la droite.
En maintenant la longueur du

torse, ramenez le coude gauche sur la face externe de la cuisse droite. Poussez contre la cuisse, qui résiste, pour favoriser la torsion vers la droite.

l'allongement de la colonne vertébrale. Tendez le bras gauche, main sur le sommet du pied droit. Passez la main droite derrière le dos. Regardez par-dessus l'épaule droite.

4 Déplacez le coude gauche vers l'extérieur du genou droit, sans diminuer la longueur de la partie gauche de la taille. Rapprochez autant que possible l'aisselle des genoux, en maintenant

5 Respirez en comprimant le bas-ventre sur l'inspiration, en soulevant la poitrine et en déroulant la colonne vertébrale sur l'expiration, pour accentuer la torsion.

6 Relâchez les mains sur l'inspiration et faites revenir la poitrine au centre. Dépliez les jambes, reposez-vous dans la posture du Bâton assis et répétez de l'autre côté.

INFORMATION

CONTEMPLATION. Par-dessus l'épaule arrière.

COMPENSATION. L'Étirement de l'est, Long étirement des jambes.

PRÉPARATION. La Posture facile tournée, le Sage tenu.

SIMPLIFICATION. a) Entourez le genou avancé du bras opposé, en appuyant le torse contre la cuisse. **b)** Si vous ne pouvez pas serrer les mains, laissez reposer la main arrière sur le plancher et fléchissez le coude avancé à 90º, doigts dirigés vers le ciel. **c)** Une variante fait passer le bras droit par la "fenêtre" en dessous du genou afin d'attraper la main gauche.

EFFET. Équilibrant – revigorant, apaisant.

La Torsion du Sage

Bharadvajasana Cette torsion simple est très efficace pour laisser aller la tension dans le cou, les épaules et la colonne vertébrale. Lorsqu'on pivote des deux côtés, on peut trouver son centre. Cette torsion offre une occasion de diriger l'attention en soi, pour découvrir sa sagesse intérieure.

1 Mettez-vous dans la posture du Bâton assis (page 104). Fléchissez les genoux et ramenez les pieds à côté de la hanche gauche, leur plante vers le haut. Placez le pied gauche en dessous, le sommet du pied droit reposant sur sa plante. Les fémurs sont à peu près parallèles.

2 Appuyez les

fesses sur le plancher et déroulez la colonne vertébrale en l'élevant. Le bras gauche est placé sur le genou droit. La main droite est posée sur le plancher derrière vous.

3 Inspirez et élargissez le torse.

2

Expirez et, en gardant l'allongement de la colonne vertébrale, entamez une large torsion depuis la gauche du bas-ventre vers l'épaule droite.

4 Inspirez et redressez le torse. Penchez-vous en avant et, la face interne du poignet tournée en dehors, glissez les doigts sous le genou droit. Passez le bras droit derrière la taille – la main attrape le haut du bras gauche. Pour une bonne prise, penchez-vous davantage. Ensuite, redressez la colonne une fois de plus. Rentrez le menton et tournez la tête pour regarder par-dessus l'épaule droite.

5 Respirez là pendant cinq à dix souffles, en

④

INFORMATION

CONTEMPLATION. Sur le côté.

PRÉPARATION. La Posture facile tournée, Demi-torsion spinale assis.

COMPENSATION. L'Étirement de l'est, Long étirement des jambes, Long étirement des jambes croisées, l'Enfant en extension, le Chien museau vers le sol.

SIMPLIFICATION. a) Restez à la première étape. **b)** Placez un coussin sous la fesse gauche. **c)** Gardez la main gauche sur le plancher.

EFFET. Centrant.

déroulant la colonne sur chaque inspiration et en accentuant doucement la torsion sur chaque expiration. Poussez le dos du poignet loin du torse et reculez encore plus l'épaule droite pour accentuer la torsion. Ancrez-vous davantage à travers la fesse gauche.

6 Relâchez les bras en inspirant, étirez les jambes et répétez de l'autre côté.

Étirements en torsion

Parivrtta Paschimottanasana *et*
Utthita Parivrtta Paschimottanasana
Lors de ces flexions en avant, l'ensemble de la colonne vertébrale et la partie postérieure des jambes sont étirés. Les organes abdominaux et les reins sont comprimés, régénérant le système circulatoire du corps.

1 À partir de la posture du Bâton assis (page 104), attrapez la face externe du pied gauche de la main droite (fléchissez le genou si nécessaire). Inspirez et levez la jambe gauche du plancher en maintenant le tronc bien droit. Faites pivoter toute la partie supérieure du corps vers la gauche, en tendant en arrière le bras gauche à hauteur des épaules. La paume dirigée vers l'extérieur, tournez la tête pour regarder par-dessus l'épaule gauche.

2 Prenez quelques respirations en levant la jambe et en déroulant la colonne sur chaque inspiration, en accentuant la torsion à partir du périnée sur chaque expiration. Relâchez la posture vers l'avant sur l'expiration, abaissez la jambe et tendez les bras au-dessus de la tête. Revenez à la posture du Bâton assis et répétez de l'autre côté.

3 Pour effectuer l'Étirement pivotant de l'ouest, mettez-vous d'abord dans la posture du Bâton assis. Inspirez en levant les bras au-dessus de la tête. Croisez les bras au niveau des poignets et expirez en tendant en avant la partie supérieure du corps et en attrapant les pieds de vos mains. La main droite tient le pied gauche et la main gauche le pied droit. Le poignet gauche est au-dessus du droit.

4 Prenez quelques respirations afin de vous échauffer pour cette posture. Levez ensuite plus haut le coude et l'aisselle gauches et entamez la torsion de l'abdomen et de la poitrine vers le ciel. La position du visage permet de regarder le ciel par en dessous le bras gauche.

INFORMATION

CONTEMPLATION. Le pouce arrière ou sur le côté.

PRÉPARATION. Long étirement des jambes, l'Abdomen pivotant, la Chaise inversée.

COMPENSATION. La Posture de l'angle tenu renversé, le Cadavre, l'Étirement de l'est.

SIMPLIFICATION. a) Fléchissez le(s) genou(x). **b)** Première étape – la main correspondant à la jambe levée est sur le plancher derrière la fesse. **c)** Passez une ceinture autour du pied levé. **d)** Seconde étape – gardez les mains sur les genoux opposés.

EFFET. Centrant.

5 Étirez les talons pendant que vos mains tirent en arrière les pieds pour accentuer la torsion. Sur chaque expiration, rentrez le pubis et tournez-vous davantage vers la droite. Après cinq à dix respirations ici, répétez de l'autre côté.

La Porte assis

Vira Parighasana Les mouvements
linéaires qu'on répète tous les jours sont
assez limitatifs, alors que la forme
inhabituelle de cette posture incite à
s'ouvrir. Elle développe les muscles
intercostaux pour que le souffle circule
plus librement dans les poumons.

1 Asseyez-vous sur le plancher
dans la posture du Bâton assis
(page 104), jambes complètement
tendues. Pliez la jambe droite
pour amener le talon derrière
la fesse, le sommet du
pied sur le plancher. Les
fémurs sont
perpendiculaires l'un
à l'autre, si bien que
le genou droit
pointe sur le côté.

2 Inspirez, déroulez la
colonne et levez le bras
gauche au-dessus de la tête.
Expirez et faites pivoter le
torse vers la droite, en
reposant la main gauche
sur le genou droit et
en tournant la tête
pour regarder
par-dessus
l'épaule
droite.

2

3 Fléchissez le genou gauche en le remontant, pour que le talon soit sur le plancher. Inspirez et déroulez la colonne vertébrale en l'élevant. En expirant, maintenez le ventre et la poitrine tournés vers la droite. Reposez l'épaule gauche sur la face interne du genou gauche.

4 Inspirez en étirant le bras droit au-dessus de la tête, pour attraper le gros orteil du pied gauche tendu. Poussez en arrière ce pied pour remonter les côtes droites. Vous devez éprouver la sensation que les côtes s'écartent et que la flexion latérale est distribuée de manière assez égale à travers la colonne vertébrale. Agrippez le genou droit et fléchissez le coude gauche. Accentuez davantage la torsion. Tournez la tête pour lever le regard par en dessous le bras droit. Respirez tant que vous êtes à l'aise dans la torsion.

5 Relâchez en inspirant, en redressant le torse et en levant les bras. La poitrine revient vers l'avant. Sur l'expiration, descendez les bras près des hanches. Répétez de l'autre côté.

INFORMATION

CONTEMPLATION. L'infini.

PRÉPARATION. La Porte, le Sage tenu, la Chaise inversée, Étirements en torsion.

COMPENSATION. L'Enfant, l'Étirement de l'est, la Posture de l'angle renversé.

SIMPLIFICATION. a) Fléchissez le genou de la jambe tendue en rapprochant le pied. **b)** Étirez la main supérieure au-dessus de la tête, au lieu de saisir le pied avancé.

EFFET. Assouplissant.

L'Abdomen pivotant

Jathara Parivartanasana Cette torsion spinale soutenue comprime en douceur les organes abdominaux et élimine les toxines accumulées. La variante initiale fait des merveilles pour soulager la douleur d'un bas du dos contracté. La posture complète tonifie l'abdomen.

❸ Ⓐ

1 Couchez-vous sur le dos. Appuyez le bas du dos sur le plancher et étirez la colonne vertébrale. Tendez les bras à hauteur des épaules, paumes vers le bas.

2 Rentrez le menton en allongeant la nuque. Laissez tomber les épaules.

3 Expirez et relevez les genoux sur la poitrine. Inspirez et laissez le souffle se répandre dans la poitrine. Expirez et faites descendre les genoux joints vers la droite. Gardez les épaules en contact avec le plancher et tournez la tête vers la gauche Ⓐ. Inspirez et faites revenir les genoux vers la poitrine. Expirez en les faisant descendre vers la gauche pour pratiquer de l'autre côté Ⓑ.

4 Après cinq répétitions de chaque côté, faites descendre les genoux vers la droite et maintenez pendant

❸ Ⓑ

plusieurs respirations profondes et amples. Sur chaque inspiration, imaginez le déroulement de la colonne vertébrale jusqu'au sommet de la tête. Sur chaque expiration, ancrez un peu plus l'épaule arrière. Expérimentez avec la position des genoux. L'endroit où vous sentez l'étirement dans le dos change selon la distance entre les genoux et l'aisselle.

5 Une fois que vous vous êtes échauffé dans cette première variante, pratiquez en gardant si possible les jambes droites. Faites pivoter d'abord les hanches vers la droite, pour que les orteils pointent vers la main gauche.

⑤

INFORMATION

CONTEMPLATION. La main arrière.

PRÉPARATION. Les Jambes tendues, le Bateau, la Posture facile tournée, le Triangle inversé.

COMPENSATION. La Sauterelle, l'Étirement de l'est.

SIMPLIFICATION. a) Si l'épaule se lève quand les genoux descendent vers le plancher, faites descendre la main correspondante vers les fesses, jusqu'à ce que les deux épaules se rapprochent du plancher. **b)** Si le cou est bloqué, le regard se tourne vers le haut. **c)** Fléchissez les genoux au lieu de les redresser.

EFFET. Fortifiant, centrant.

6 Sur l'expiration, abaissez les jambes, orteils pointant vers le bout des doigts. Inspirez pour revenir au point de départ, faites pivoter les hanches vers la gauche et répétez de l'autre côté. Pratiquez jusqu'à cinq fois de chaque côté.

7 Sur la dernière répétition, jambes vers la gauche, serrez la main autour des orteils ou le côté du pied gauche et étirez les talons en faisant tourner l'abdomen vers la droite. Lorsque vous regardez au-delà de la main droite, le côté droit du dos appuie sur le plancher. Maintenez pendant quelques respirations avant de répéter du côté droit.

⑥

La Chaise retournée

Parivrtta Utkatasana L'accroupissement est une posture naturelle du corps, qui rend l'individu conscient de sa connexion avec la terre. Dans cette variante, la torsion de la partie supérieure du corps masse les muscles abdominaux, tandis que les jambes sont fortifiées.

1 Tenez-vous dans la posture de la Montagne (page 46), pieds écartés de la largeur des hanches. Inspirez, tendez les bras au-dessus de la tête et étirez la colonne vertébrale. Expirez et penchez-vous en avant, genoux fléchis, en amenant la poitrine vers les cuisses et les mains vers le plancher. Inspirez, appuyez sur la plante des pieds et avancez les bras et la poitrine en les éloignant des cuisses. Continuez à relever la poitrine, en tirant sur les doigts jusqu'à ce que la colonne vertébrale et les bras soient parallèles au plancher.

2 Levez les fesses vers le plafond. Respirez régulièrement en établissant un ancrage solide à travers les talons. Sentez l'effort dans les cuisses. Abaissez davantage les fesses

INFORMATION

CONTEMPLATION. Sur les côtés.

PRÉPARATION. Flexion debout, la Chaise, le Triangle inversé.

COMPENSATION. La Montagne, l'Arbre.

SIMPLIFICATION. a) Fléchissez moins les genoux. **b)** Reposez les mains sur la hanche et le genou du côté vers lequel vous vous tournez.

EFFET. Revigorant.

vers les talons lorsque les bras et la colonne montent. Portez les mains vers le cœur et joignez les paumes en position de prière.

3 Sur l'expiration, tournez la poitrine vers la droite et penchez-vous en avant pour caler le coude gauche contre le bord externe du genou droit. Pour accentuer la torsion, appuyez le coude contre le genou droit, qui résiste. Les pouces sont sur le sternum, les paumes jointes. Poussez le genou droit en avant, pour qu'il soit au même niveau que le gauche. Percevez l'étirement montant dans la partie inférieure du corps depuis le sacrum. Tournez la tête pour regarder par-dessus l'épaule droite.

Appuyez-vous davantage sur les fesses. Déplacez légèrement en arrière le poids de votre corps, pour que les genoux n'avancent pas excessivement par rapport aux chevilles – cela fera travailler plus intensément les muscles vigoureux du haut des cuisses. Maintenez pendant cinq respirations.

4 Relâchez en inspirant. Les bras vous remettront debout dans la position de la Montagne. Répétez de l'autre côté.

Torsion bloquée en demi-lotus

Bharadvajasana II Cette torsion assise simple élimine la raideur dans la partie supérieure du dos et les épaules. Bien que la torsion puisse être moins forte que pour la Torsion du Sage (page 184), la position des jambes la rend plus difficile pour les personnes aux hanches étroites.

1 À partir de la posture du Bâton assis (page 104), fléchissez le genou gauche et placez le pied à côté de la cuisse, sommet sur le plancher, orteils pointant en arrière. Pliez la jambe droite en l'élevant et en amenant la cheville haut sur la cuisse gauche. Le genou se pose sur le plancher.

2 Rentrez en douceur les muscles abdominaux, en tombant le coccyx. Penchez-vous légèrement en arrière et appuyez les fesses sur le sol.

3 Inspirez et levez le bras droit dans les airs. Tournez-vous vers la droite en partant du bas-ventre. Déroulez-vous en pivotant depuis le nombril vers l'épaule

INFORMATION

CONTEMPLATION. Sur le côté.

PRÉPARATION. La Torsion du Sage, Demi-torsion spinale assis, la Vache, préparations pour le Demi-lotus

---

COMPENSATION. L'Étirement de l'est, Long étirement des jambes, le Bateau, le Chien museau vers le sol.

SIMPLIFICATION. a) Appuyez la main droite sur le plancher derrière vous. **b)** Utilisez une ceinture passée autour de la cheville droite. **c)** Placez la main gauche sur le sommet du genou droit.

EFFET. Centrant.

face interne du poignet est tournée vers l'extérieur. Une partie aussi large que possible de la paume appuie sur le plancher. En vous étirant à partir du bas-ventre, faites pivoter davantage le torse vers la droite et regardez par-dessus l'épaule gauche. Le regard couvre le maximum d'espace autour de vous. Sur chaque inspiration, étirez la colonne vertébrale, sur chaque expiration, tournez-vous davantage.

5 Relâchez sur l'expiration. Revenez à la posture du Bâton assis et répétez de l'autre côté.

droite, puis étirez-vous à partir de l'épaule jusqu'au bout des doigts. Tournez l'épaule vers l'intérieur, fléchissez le coude, et passez le bras derrière la taille pour saisir les orteils du pied droit.

4 En maintenant la torsion, passez la main gauche par-dessus le corps pour arriver sous la cuisse droite. La

Torsion spinale en demi-lotus

Ardha Padma Matsyendrasana Cette torsion difficile ouvre les hanches, les genoux et les épaules. De par la pression des talons sur l'abdomen, elle tonifie les organes abdominaux et intensifie la digestion. Comme pour toutes les postures yoga, il vaut mieux la pratiquer l'estomac vide.

1 Mettez-vous dans la posture du Bâton assis (page 104). Fléchissez le genou droit dans la posture du Demi-lotus (page 152), en glissant le talon près du nombril. Si nécessaire, utilisez les préparations décrites pour la Flexion bloquée en demi-lotus (page 146) et la Vache (page 140). La rotule gauche pointe vers le haut, pour éviter que la jambe roule sur le côté. Étirez le talon gauche.

2 Les bras longs sont vraiment pratiques pour cette torsion !

❷ Imaginez vos bras partant de l'abdomen et non pas des épaules. Expirez et faites pivoter l'abdomen vers la gauche en tendant le bras gauche latéralement.

3 Faites pivoter vers l'intérieur votre épaule gauche et passez le bras derrière le dos pour agripper la face interne de la cuisse droite. Toujours en partant du

INFORMATION

CONTEMPLATION. Par-dessus l'épaule.

PRÉPARATION. Flexion bloquée en demi-lotus, Torsion bloquée en demi-lotus, le Sage B, le Sage tenu, Torsion maintenue du Sage.

COMPENSATION. L'Étirement de l'est, Long étirement des jambes.

SIMPLIFICATION. a) Ne placez pas la jambe gauche dans la posture du Demi-lotus, mais reposez le pied sur le plancher près de la face interne de la cuisse de la jambe tendue, comme pour la posture Tête au genou. **b)** Appuyez la main sur le plancher derrière vous, ou attrapez la cuisse au lieu du mollet. **c)** Utilisez une ceinture passée autour du mollet de la jambe fléchie.

EFFET. Élargissant.

③

nombril et en reculant l'épaule, avancez les doigts pour agripper le mollet droit.
Penchez-vous en avant et aidez-vous de l'autre main pour la prise.

4 Inspirez, relevez la poitrine et redressez le dos. Avancez le bras droit, puis abaissez la main et serrez le bord externe du pied gauche. Tournez la tête pour regarder par-dessus l'épaule gauche. Pivotez fortement à partir de l'abdomen, en reculant l'épaule et en la faisant monter pour ouvrir la poitrine latéralement. Maintenez pendant dix respirations. Expirez, relâchez les mains, redressez-vous et revenez à la position du Bâton assis, puis répétez de l'autre côté.

④

Le Sage tenu

Marichyasana C Cette posture ouvre les hanches, atténue le mal de dos et tonifie les organes abdominaux. Elle étire aussi les épaules. Par ailleurs, cette posture limite, car une partie du corps est calée contre une autre. Elle peut parfois présenter un défi pour le mental.

1 Mettez-vous dans la posture du Bâton assis (page 104). Fléchissez le genou droit et amenez le pied devant la fesse, plante appuyant contre le plancher, orteils pointant en avant. Laissez de 5 à 8 cm entre le pied droit et la face interne de la cuisse gauche. (Au début, il est plus facile de tourner légèrement en dedans le pied droit, pour que le genou soit incliné vers la ligne de milieu du corps.) Placez la main droite à quelques centi-mètres derrière la hanche droite, doigts dirigés en arrière. Placez la main gauche sur la face externe du genou droit. Expirez, rentrez l'abdomen et tournez-vous vers la droite. Prenez

❶

droit, pour que la main gauche se rapproche de la hanche droite. Le bras droit tendu passe dans le dos, les mains se serrent – la main gauche agrippant, si possible, le poignet droit. Tournez la tête du côté opposé à la torsion du tronc et regardez par-dessus l'épaule gauche. Ne vous penchez pas en arrière. Ancrez-vous par la plante du pied droit, surtout par la base du gros orteil.

3 Accentuez la torsion en appuyant le pied droit sur le plancher, comme si vous vouliez vous lever, et en éloignant la face interne du genou de l'aisselle gauche. Poussez à travers les coudes. Entretenez l'énergie de la jambe tendue en étirant le talon. Maintenez pendant dix respirations.

quelques respirations pour accentuer la torsion, en soulevant davantage la poitrine vers la droite grâce au soutien de la main gauche.

2 Quand vous êtes prêt, amenez le coude gauche vers le genou droit, l'aisselle aussi proche que possible de la face externe de celui-ci. Inspirez, relevez la poitrine et redressez le dos, en vous étirant depuis la base de la colonne vertébrale. Sur l'expiration, passez le bras gauche autour du genou

4 Expirez, relâchez les mains et revenez à la position du Bâton. Répétez de l'autre côté.

②

Torsion maintenue du Sage

Marichyasana D Cette difficile torsion ouvre les hanches, les genoux et les épaules. La pression du talon contre l'abdomen tonifie les organes de cette zone et intensifie la digestion. Assurez-vous d'être bien échauffé pour que le risque d'endommager les chevilles et les genoux soit moindre.

1 Mettez-vous dans la posture du Bâton assis (page 104). Fléchissez le genou gauche dans la posture du Demi-lotus (pratiquez d'abord les exercices préparatoires des pages 140 et 146). Accordez-vous beaucoup de temps et quelques essais pour placer le talon aussi près que possible du nombril. Pour éviter d'étirer trop les ligaments du pied extérieur, assurez-vous qu'une plus grande partie de la cheville repose sur le haut de la cuisse droite.

2 Fléchissez le genou droit devant la fesse droite. Les orteils pointent en avant, la plante du pied s'appuie fortement sur le plancher.

3 Levez haut le bras gauche, penchez-vous en arrière en prenant appui sur la main droite. En inspirant, allongez le torse, surtout son côté droit Ⓐ . En expirant, pivotez vers la droite et amenez le coude gauche

③ Ⓑ

au-dessus du genou
droit. Inspirez,
relevez la
poitrine et
redressez le dos.
En expirant,
pivotez fortement vers la droite en tirant
l'aisselle au-delà du tibia droit. Aidez le
processus en poussant la cuisse de la main
droite. Tournez l'épaule vers l'intérieur de
sorte que le coude pointe vers le haut Ⓑ .

4 Passez le bras gauche autour du genou
droit pour ramener la main près de la
hanche gauche. Restez bien ancré, le haut du
bras gauche appuyant contre la jambe
droite. Levez le bras droit et passez-le
derrière le dos – la main gauche agrippe le
poignet droit. Faites pivoter davantage les
épaules et le cou vers la droite et regardez
par-dessus l'épaule droite. Maintenez
pendant dix respirations.

5 Expirez, relâchez les mains et revenez à
la position du Bâton assis. Répétez de
l'autre côté.

INFORMATION

CONTEMPLATION. Par-dessus
l'épaule.

PRÉPARATION. La Posture facile
tournée, le Sage B, le Sage tenu,
Torsion spinale en demi-lotus.

COMPENSATION. L'Étirement de l'est.

SIMPLIFICATION. a) Si vous n'arrivez
pas à serrer les mains, attrapez le pied
ou la hanche droite de la main gauche
et laissez la main droite sur le plancher, derrière le dos. **b)** Utilisez une
ceinture pour rapprocher les mains
derrière le dos.

EFFET. Élargissant.

④

Le Nœud coulant

Pasasana Cette torsion difficile, où les bras entourent comme une corde les jambes, fait travailler les chevilles et les épaules, tout en faisant pivoter fortement l'abdomen. Jusqu'à ce que vos talons reviennent sur le plancher, le maintien de l'équilibre sera une exigence supplémentaire de cette posture.

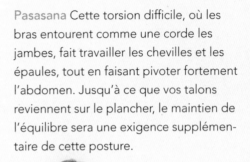

1 À partir de la posture de la Montagne (page 46), accroupissez-vous sur les talons, genoux rapprochés. Ne laissez pas les pieds se tourner vers l'extérieur, gardez les orteils joints. Faites tourner l'abdomen vers la droite, en plaçant la main droite sur le plancher pour garder l'équilibre. Accentuez la torsion en pressant de la main gauche l'extérieur de la cuisse droite, qui résiste.

2 Continuez en appuyant le coude gauche contre le genou droit, en descendant dans la torsion la plus prononcée possible. Les talons se rapprochent au maximum du plancher. Avancez l'épaule gauche, reculez l'épaule droite et relevez la poitrine. Ne vous penchez pas en arrière – étirez-vous en avant en montant à partir de la base de la colonne vertébrale. Les genoux pointent en avant. Prenez quelques respirations.

3 Ⓐ

s'agrippent Ⓑ . Regardez par-dessus l'épaule droite, en dilatant la poitrine autant que possible.

4 Après cinq respirations, expirez, relâchez les mains et revenez à la position de départ. Répétez de l'autre côté.

3 Ⓑ

3 Avancez l'épaule gauche pour que l'aisselle entre en contact avec le genou. Tournez-la vers l'intérieur (le coude pointe en avant), puis passez la main gauche sous les tibias, pour la rapprocher de la hanche gauche Ⓐ . Portez votre poids en avant et levez la main droite du plancher. Faites pivoter vers l'intérieur l'épaule et le bras droit et passez celui-ci derrière le dos – les mains

INFORMATION

CONTEMPLATION. Vers le côté.

PRÉPARATION. Le Sage tenu, la Guirlande, la Chaise inversée.

COMPENSATION. Flexion debout, la Guirlande, l'Étirement de l'est.

SIMPLIFICATION. a) Placez une couverture pliée sous les talons pour favoriser l'équilibre. **b)** Placez la main avancée sur le plancher, près des orteils, pour accentuer la torsion. **c)** Passez une ceinture entre les mains pour aider les bras à entourer complètement les jambes. **d)** Passez seulement le bras gauche autour de la jambe gauche, en le plaçant entre les genoux. **e)** N'effectuez pas la dernière étape.

EFFET. Élargissant.

La Balance

Tolasana Pour cette suite de la posture du Lotus, les fesses quittent le plancher. Cette posture développe la force de l'épaule, du bras et de l'abdomen. Lorsqu'on arrive à maintenir fermement et aisément l'élévation du sol, cette posture est réellement maîtrisée.

1 Asseyez-vous dans la posture du Lotus (page 152). Les genoux sont assez proches pour qu'elle soit suffisamment "tendue".

2 Placez les mains des deux côtés des hanches, doigts pointant en avant. Appuyez les mains sur le sol puis, sur l'expiration, fermez les *bandhas* et soulevez les fesses du plancher. Ramenez les genoux aussi près de la poitrine que possible. Tombez les épaules pour bien écarter les omoplates. Maintenez pendant dix respirations longues et profondes, ou davantage.

3 Expirez, faites redescendre le corps, relâchez les mains et redressez les jambes. Répétez du côté opposé.

4 Si votre corps n'est pas prêt pour la posture du Lotus, asseyez-vous simplement en tailleur (voir la Posture facile assis, page 106). Tirez les genoux vers le haut en les rapprochant du torse, pour former une masse aussi petite que possible. Activez les muscles abdominaux. Appuyez les mains sur le plancher juste devant les hanches. Penchez-vous en avant et levez les fesses du plancher et, si possible, les pieds.

INFORMATION

CONTEMPLATION. Le bout du nez.

PRÉPARATION. Le Lotus (et ses préparations), le Bateau, Équilibre sur les bras une main dessus.

COMPENSATION. La Montagne 2 (dans le Héros), Assouplissements des poignets.

SIMPLIFICATION. À partir de la Posture facile en tailleur, levez seulement les fesses du plancher.

EFFET. Fortifiant.

Le Pendentif

Lolasana Dans cette posture dynamique, le corps oscille entre les bras comme un pendentif sur une chaîne, en développant la force des épaules et des muscles abdominaux.

1 Agenouillez-vous sur le plancher, les pieds rapprochés, assis sur les talons. C'est la posture du Coup de foudre.

2 Les mains sur le plancher, recroquevillez les orteils et penchez-vous en avant pour que les épaules soient au-dessus du bout des doigts et les genoux devant les avant-bras. Appuyez-vous sur les mains, montez légèrement les fesses et levez les genoux du plancher.

3 Penchez-vous davantage en avant et utilisez vos muscles abdominaux.

❶

Tendez complètement les bras pour tirer les genoux vers la poitrine. Rendez le corps aussi compact que possible. Pointez les orteils en arrière en vous équilibrant sur les mains. Écartez les omoplates et poussez les paumes contre le plancher, en répartissant votre poids de façon égale. Tel un Pendentif, oscillez plusieurs fois en avant et en arrière.

4 Sur l'expiration, abaissez les jambes, croisez les chevilles dans l'autre sens et répétez. Une fois cette posture maîtrisée, vous pouvez l'assumer à partir de la Posture facile en tailleur (page 106) en relevant les jambes et en les faisant osciller en arrière.

INFORMATION

CONTEMPLATION. Le bout du nez.

PRÉPARATION. Le Chien museau vers le sol, le Bateau, la Balance, Équilibre porté par les bras.

COMPENSATION. La Montagne 2 (dans la tête), Assouplissements du poignet, l'Étirement de l'est.

SIMPLIFICATION. a) Surélevez les mains sur des blocs de mousse. **b)** Levez seulement les genoux du plancher, pieds se touchant légèrement.

EFFET. Fortifiant.

Le Héron en demi-lotus

Ardha Padma Krounchasana Cette posture étire fortement la face postérieure des jambes lorsqu'on est assis bien droit, avec le bénéfice supplémentaire de faire travailler intensément les muscles abdominaux. La forme de cette posture est très similaire à la Flexion bloquée en demi-lotus (page 146), mais a une relation différente à la gravité.

1 Installez-vous sur le plancher, jambes tendues dans la posture du Bâton assis (page 104). Fléchissez le genou droit sur le côté et ramenez la cheville sur le haut de la cuisse gauche. Pour éviter de stresser les ligaments, placez de préférence la face externe de la cheville droite contre la cuisse. Pour que le genou ne travaille pas trop, les hanches doivent être prêtes pour cette position. Recourez à la Vache (page 140) et la Flexion bloquée en demi-lotus (page 146) pour y parvenir.

2 Fléchissez le genou gauche vers la poitrine et attrapez le talon des deux mains Ⓐ. Continuez à le tirer en arrière lorsque vous tendez la jambe levée dans les airs. Redressez

encore davantage la partie supérieure du corps et la jambe tendue. Rapprochez-la de votre visage Ⓑ . Appuyez bien les fesses sur le sol et tirez la zone lombaire de la colonne vertébrale vers le nombril pour ne pas voûter le dos.

Gardez les épaules relaxées et ouvrez la partie postérieure de la jambe tendue en l'étirant.

Ⓑ Ⓑ

3 Après avoir pris quelques respirations, durcissez les muscles abdominaux en vue du relâchement

de la jambe. Rapprochez la jambe, relâchez votre prise et étirez les bras parallèlement au plancher. Tenez la jambe bien haut. Maintenez pendant cinq respirations. Expirez et abaissez la jambe sur le plancher.

❸

INFORMATION

CONTEMPLATION. Le bout du nez.

PRÉPARATION. Préparations pour la Vache et la Flexion bloquée en demi-lotus, Flexion bloquée en demi-lotus, Étirement bloqué en demi-lotus, le Bateau.

COMPENSATION. Le Héros, l'Étirement de l'est.

SIMPLIFICATION. a) Gardez la jambe levée fléchie. **b)** Utilisez une ceinture autour du pied levé. **c)** Tenez le mollet ou la cuisse levés au lieu du talon. **d)** Placez la plante ou le côté du pied de la jambe fléchie sur le plancher.

EFFET. Fortifiant.

Le Poisson jambes tendues

Uttana Padasana Pour cette suite de la
posture du Poisson (page 262), les jambes
tendues sont relevées. Cette posture
accroît la force abdominale et, en plaçant
plus de pression sur les vertèbres
cervicales, protège celles-ci de la perte de
masse osseuse. Elle convient après la
Chandelle (page 286) et ses variantes.

1 Couchez-vous sur le dos, pieds joints.
Placez les bras tendus le long du
corps, paume vers le bas sous les fesses.
Appuyez sur les coudes et relevez la
poitrine du plancher. En regardant toujours
en avant, soulevez-vous autant que vous le
pouvez. Poussez vers le haut à travers le
sternum, pour élever le chakra du cœur.
Inclinez la tête en arrière, étirez le menton
au loin et posez le sommet de la tête sur le
plancher dans la posture du Poisson. Tirez
les vertèbres lombaires vers l'avant du
corps. Grâce à cette cambrure du bas du
dos, ramenez le sommet de la tête plus

près du sacrum, en laissant la tête supporter le poids du torse. Ne soutenez pas le poids du corps sur les bras.

2 Sans bouger la tête ou la poitrine, levez les jambes et étirez-les bien. Joignez les paumes au-dessus de l'abdomen, pour que les bras montent à 45°, parallèles aux jambes. Gardez les jambes et

les bras tendus et étirez les orteils. Le poids du corps repose uniquement sur le sommet de la tête et les fesses.

3 Expirez, abaissez les jambes et les bras, puis libérez la tête et reposez-vous sur le plancher.

INFORMATION

CONTEMPLATION. Le bout du nez.

PRÉPARATION. Le Poisson, le Bateau, le Lapin.

COMPENSATION. Le Pont soutenu, Long étirement des jambes, Assouplissement du cou.

SIMPLIFICATION. a) Fléchissez les genoux. **b)** Fléchissez les genoux pour lever plus facilement les jambes dans les airs. **c)** Reposez légèrement le bout des orteils sur le plancher.

EFFET. Fortifiant.

Équilibres
sur les bras

Le déséquilibre est une considérable source de stress et
tend à créer des problèmes. Trouver
son équilibre dans une posture du
yoga permet de rééquilibrer le
reste de sa vie. Les postures
d'équilibre développent
l'autosuffisance et la
confiance en soi. Les équilibres sur
les bras, où ces

membres soutiennent
le poids du corps,
développent la force. À mesure
que la partie supérieure du
corps devient plus forte, la
tension dans le cou et dans
les épaules se dissipe. Ces
postures accroissent la vigueur et
unissent le mental et le corps, qui
sont ainsi encouragés à travailler ensemble pour
maintenir l'intégrité de l'individu.

Équilibre porté par les bras

Bhujapidasana Cette posture fortifie les poignets, les bras et les épaules. Elle fait aussi travailler les muscles adducteurs, utilisés pour presser les jambes contre les bras.

1 Tenez-vous debout, les pieds parallèles écartés d'environ 30 cm. Penchez-vous en avant, levez le talon gauche et passez le bras gauche entre les jambes pour caler l'épaule derrière le genou gauche. Positionnez la main à plat sur le plancher derrière vous, juste à l'extérieur du talon gauche, les doigts dirigés en avant. La main droite est posée devant vous. ❶

2 Ne vous accroupissez pas beaucoup – gardez les fesses hautes afin de pouvoir répéter la séquence avec le bras droit. Placez la partie postérieure des cuisses aussi haut que possible sur les bras, comme si vous vous asseyiez sur les coudes.

3 Penchez-vous progressivement en arrière et portez le poids du corps sur les mains. Tendez les bras et équilibrez-vous sur les mains. Levez les pieds du plancher et croisez les

chevilles. Appuyez les cuisses contre les bras pour les empêcher de glisser. Restez dans cette position pendant cinq à dix respirations. Changez le sens du croisement des chevilles à chaque répétition.

4 À partir de ce point, les pratiquants avancés expirent, fléchissent les coudes, inclinent le corps en avant, font passer les pieds en arrière entre

INFORMATION

CONTEMPLATION. Le bout du nez.

PRÉPARATION. Le Chien museau vers le sol, Équilibre sur les bras une main dessus.

COMPENSATION. La Montagne 2 (dans le Héros), Assouplissements des poignets.

SIMPLIFICATION. a) N'effectuez pas la dernière étape. **b)** Exercez-vous à transférer le poids sur les mains. **c)** Placez des supports sous les mains. **d)** À la dernière étape, amenez sur le plancher le sommet de la tête plutôt que le menton.

EFFET. Fortifiant.

les mains et abaissent le sommet de la tête, ou, si possible, le menton, vers le plancher, en regardant devant eux. Faites travailler les muscles abdominaux et ne laissez pas les pieds toucher le plancher. Restez dans cette position pendant cinq à dix respirations. Inspirez, revenez à la position de départ, croisez les chevilles dans l'autre sens et répétez.

▲ La Grue

Bakasana Dans cette posture, tout le poids du corps repose sur les mains, ce qui fortifie les poignets, les bras, les épaules et les muscles abdominaux. Cette position exige de la concentration. En aidant à maîtriser la peur de tomber en avant, elle renforce la confiance en soi dans d'autres domaines de la vie.

1 Tenez-vous dans la posture de la Montagne (page 46). Accroupissez-vous et placez les mains à plat sur le plancher, écartées de la larguer des épaules, à environ 25 cm devant les pieds, médius dirigés en avant. Les pieds rapprochés, tenez-vous sur la pointe des pieds, écartez les genoux et fléchissez les coudes. Levez plus haut les talons et portez votre poids en avant pour poser les genoux sur

les bras, aussi près des aisselles que possible. Continuez à appuyer les genoux contre le haut des bras.

2 Penchez-vous lentement en avant, en transférant le poids du corps sur les mains. Fiez-vous à la force de vos bras en avançant le visage. Une fois que le poids repose sur les mains, levez les pieds joints et tendez les bras autant que vous le

INFORMATION

CONTEMPLATION. Le bout du nez.

PRÉPARATION. Le Chien museau vers le sol, Équilibre porté par les bras.

COMPENSATION. La Montagne 2 (dans le Héros), le Chameau, Assouplissements des poignets.

SIMPLIFICATION. a) Exercez-vous à transférer le poids entre les orteils et les paumes. **b)** Ne redressez pas les bras, apprenez d'abord à rester en équilibre les coudes fléchis. **c)** Utilisez des supports sous les mains.

EFFET. Fortifiant.

pouvez. Pour fortifier les muscles des poignets et protéger ceux-ci, "agrippez" le sol du bout des doigts. C'est la posture de la Grue. Maintenez pendant cinq à dix respirations. Restez concentré en la quittant. Fléchissez lentement les coudes, reposez les pieds sur le plancher et levez-vous.

3 À partir de la posture de la Grue, les pratiquants avancés peuvent plier davantage les coudes et tendre la jambe en arrière dans la posture du Corbeau sur une jambe. Restez quelques secondes dans cette position, pliez la jambe levée pour la ramener dans la posture de la Grue et répétez de l'autre côté.

Le Plan incliné

Vasisthasana Cette posture fortifie les poignets, les bras, les épaules et l'abdomen. La dernière étape assouplit en plus les jambes. Vous devez absolument disposer de la force nécessaire pour pratiquer cette posture. Puisez dans votre pouvoir mental pour la maintenir.

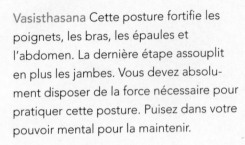

1 Prenez la posture du Chien museau vers le sol (page 162). Tournez en dehors le talon droit et posez le bord externe du pied sur le plancher, en ligne avec la main droite. Avancez le pied gauche.

2 Le poids de votre corps se déplace sur la main droite. Pour que le corps soit sur une ligne droite, les hanches descendent, l'épaule droite se porte précisément au-dessus du poignet. Si nécessaire, revenez à la posture du Chien museau vers le sol et diminuez ou augmentez la distance entre les mains et les pieds.

3 Placez le pied gauche sur le droit et étirez les talons. Faites pivoter le tronc vers la gauche en levant la main gauche vers le ciel. Ne laissez pas tomber les hanches – utilisez vos muscles abdominaux pour maintenir le corps bien droit. Tournez la tête pour regarder vers la main gauche levée. Assurez votre équilibre et restez dans cette position de cinq à dix respirations.

4 Fléchissez le genou supérieur vers la poitrine et attrapez le gros orteil

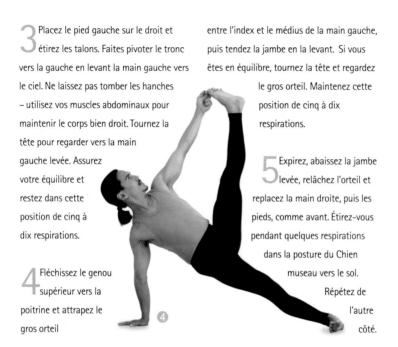

entre l'index et le médius de la main gauche, puis tendez la jambe en la levant. Si vous êtes en équilibre, tournez la tête et regardez le gros orteil. Maintenez cette position de cinq à dix respirations.

5 Expirez, abaissez la jambe levée, relâchez l'orteil et replacez la main droite, puis les pieds, comme avant. Étirez-vous pendant quelques respirations dans la posture du Chien museau vers le sol. Répétez de l'autre côté.

INFORMATION

CONTEMPLATION. La main au-dessus.

PRÉPARATION. Séquence du gros orteil redressé, la Main aux orteils renversé, le Chien museau vers le sol, le Bâton soutenu sur les membres.

COMPENSATION. Assouplissements des poignets, le Chien museau vers le sol, l'Enfant.

SIMPLIFICATION. a) Fléchissez le genou inférieur et reposez-le sur le plancher, tout comme le mollet, orteils pointant en arrière. **b)** Équilibrez-vous sur l'avant-bras inférieur au lieu de la main. **c)** Posez la plante du pied inférieur contre un mur. **d)** N'effectuez pas la dernière étape.

EFFET. Fortifiant.

Variantes
du Plan incliné

Vasisthasana Ces variantes avancées de
la posture du Plan incliné (page 218)
exigent de la force dans le bras et
l'épaule, ainsi que de la concentration
mentale, car elles posent un défi de plus
à votre flexibilité et à votre équilibre.

1 Commencez dans la posture du Plan
incliné (page 218), le bras libre le
long du corps. Gardez l'ensemble du
corps droit.

2 Fléchissez le genou le
plus haut vers
la poitrine.
Attrapez le pied
avec la main libre et
éloignez le genou afin de
rapprocher le talon de la
fesse la plus haute. En
poussant le sommet
du pied en avant,
pivotez la main vers
l'extérieur en faisant monter et saillir
le coude jusqu'à ce que les
doigts pointent loin du pied.
La main pousse le pied vers le
flanc. Restez pendant cinq à dix
respirations dans la posture
de la Grenouille sur un
plan incliné (vue
arrière).

CONTEMPLATION. Le bout du nez.

PRÉPARATION. Le Plan incliné, la Grenouille, préparations pour le Demi-lotus, le Demi-lotus tenu.

COMPENSATION. Assouplissements des poignets, la Montagne 2 (dans le Héros), Long étirement des jambes, le Fœtus ou l'Enfant (en extension).

SIMPLIFICATION. a) Fléchissez le genou du dessous et reposez-le sur le plancher, ainsi que le mollet, orteils pointant en arrière. **b)** Équilibrez-vous sur l'avant-bras du dessous **c)** Posez la plante du pied du dessous contre un mur. **d)** Ne tenez pas les orteils dans la posture Kasyapa. **e)** Les doigts pointent en arrière, dans la posture de la Grenouille sur un plan incliné.

EFFET. Fortifiant, centrant.

3 Expirez, relâchez la jambe et revenez de façon contrôlée à la posture du Chien museau vers le sol (page 162). Reposez-vous dans la posture de l'Enfant (page 100) si nécessaire, puis répétez de l'autre côté pour la même durée de temps.

pied sur le plancher, puis fléchissez la jambe du dessus vers l'intérieur. Ramenez le pied à la base de la cuisse de support, dans la posture du Demi-lotus (page 152). Passez le bras libre derrière le dos et agrippez les orteils du pied en position du Lotus. Maintenez de cinq à dix respirations.

4 La posture *Kasyapa* porte le nom du légendaire sage Kasyapa, père des dieux et des démons. Pour cette posture, partez de la position de base du Plan incliné. Appuyez la plante du

④

5 Pour quitter la posture, relâchez le pied droit, redressez la jambe et revenez à la posture du Chien museau vers le sol. Reposez-vous si nécessaire, puis répétez de l'autre côté.

▲

Équilibre sur les bras une main dessus

Eka Hasta Bhujasana La jambe tendue en avant place sur les bras un lourd fardeau à soulever. Cette posture développe la force des poignets, des bras et des épaules. Elle exige aussi beaucoup de force abdominale.

1 Mettez-vous dans la posture du Bâton assis (page 104). Levez le genou droit en vous aidant de la main droite et attrapez le pied de la main gauche. Passez le genou droit derrière l'épaule droite aussi loin que possible, en le gardant fléchi. Le pied doit être positionné au-dessus du genou gauche.

2 Placez la main droite sur le plancher à côté de la hanche droite, doigts pointant en avant, le bras à l'intérieur du genou

droit. Placez la main gauche sur le plancher à côté de la hanche gauche, doigts pointant en avant. Le mollet droit appuie fortement contre le bras, comme s'il voulait l'écraser. Arc-boutez-vous sur les mains posées sur le plancher et soulevez tout le corps, coudes fléchis sans être bloqués. La jambe gauche est parallèle au plancher ou, si possible, levée plus haut. Soutenez la jambe droite contre le bras pour l'empêcher de glisser. Étirez tous les orteils. Maintenez en respirant régulièrement pendant cinq respirations ou plus.

INFORMATION

CONTEMPLATION. Le bout du nez.

PRÉPARATION. Le Chien museau vers le sol, Équilibre porté par les bras, le Bateau.

COMPENSATION. La Montagne 2 (dans le Héros), Assouplissements des poignets, Flexion assouplissant les avant-bras.

SIMPLIFICATION. a) Laissez le pied gauche sur le plancher et levez uniquement les fesses. **b)** Placez les mains sur des supports.

EFFET. Fortifiant.

3 Expirez, replacez le corps sur le plancher, relâchez la jambe droite et redressez-la, puis répétez de l'autre côté pour la même durée.

Équilibre plié en huit

Astavakrasana Cette torsion très intense fortifie les poignets, les bras et les épaules. À mesure que vous trouvez l'équilibre délicat entre la tendance à tomber en avant et l'effort que font les bras pour vous maintenir dans les airs, le corps agit de façon de plus en plus harmonieuse.

1 Asseyez-vous sur le plancher, genoux pliés. Attrapez la jambe gauche, penchez-vous en avant et passez-la au-dessus du bras gauche. La face interne du genou monte haut sur le bras, calée derrière l'épaule, si possible.

2 Placez la main gauche à plat sur le plancher, à côté et devant la fesse gauche. Les doigts pointent en avant. Fléchissez le coude pour qu'il presse fortement sur la cuisse, afin de maintenir en place le genou. Placez la main droite à plat sur le plancher, juste devant et sur le côté de la fesse droite. Croisez les chevilles, la droite au-dessus. À cette étape, les genoux sont pliés.

②

INFORMATION

CONTEMPLATION. Le bout du nez.

PRÉPARATION. Équilibre porté par les bras, la Balance, Équilibre sur les bras une main dessus.

COMPENSATION. La Montagne 2 (dans le Héros), Assouplissements des poignets, Étirement des jambes.

SIMPLIFICATION. a) N'effectuez pas la dernière étape. **b)** Placez les mains sur des supports.

EFFET. Fortifiant.

3 À mesure du passage du poids sur les paumes, inclinez progressivement le corps en avant. Commencez à tendre les jambes vers la droite, soulevez les fesses et fléchissez fortement les coudes.

5 Pour quitter cette posture, inspirez, redressez les bras, pliez les genoux et asseyez-vous de nouveau. Relâchez les jambes, puis répétez de l'autre côté.

4 Le menton se rapproche du plancher, le tronc et le haut des bras sont parallèles à celui-ci. Maintenez la tension dans les jambes, comme si vous essayiez de les tendre. Maintenez de cinq à dix respirations.

④

Équilibre de la luciole

Tittibhasana Comme toutes les postures d'équilibre sur les bras, celle-ci fortifie les poignets, les bras et les épaules. Elle fait aussi travailler les hanches et étire fortement les muscles longs de la partie postérieure des cuisses. Cette posture peut être une suite à l'Équilibre porté par les bras (page 214).

1 Tenez-vous debout, pieds parallèles écartés d'environ 30 cm. Penchez-vous en avant et passez un à un les bras entre les jambes, pour caler les épaules derrière les genoux. Placez les mains à plat sur le plancher derrière les talons et à l'extérieur de ceux-ci, doigts dirigés en avant. Pour effectuer correctement cette posture, les jambes doivent être aussi remontées que possible sur les bras.

2 Inclinez-vous peu à peu en arrière et transférez le poids du corps sur les mains. Reposez la face postérieure des cuisses sur le haut des bras, comme si vous vous teniez sur les coudes. Tendez les bras et équilibrez-vous sur les mains.

INFORMATION

CONTEMPLATION. Le bout du nez.

PRÉPARATION. La Posture de l'angle assis, la Tortue, la Grue

COMPENSATION. L'Étirement de l'est, Assouplissements des poignets, Flexion assouplissant les avant-bras.

SIMPLIFICATION. Placez les mains sur des supports.

EFFET. Fortifiant.

3 Levez les pieds du plancher et redressez les jambes. Pour y parvenir, vous devez assouplir les muscles longs de la partie postérieure des cuisses en vous exerçant aux flexions en avant. Étirez les orteils et regardez devant vous. Maintenez pendant cinq à dix respirations. Les spécialistes descendent les hanches et lèvent les pieds, si bien que les jambes deviennent plus verticales.

4 Expirez, fléchissez les coudes, asseyez-vous sur le plancher et détendez-vous. À partir de l'Équilibre de la luciole, passez à l'Ashtanga Vinyasa yoga avancé (page 385). Certains arrivent à lancer leurs jambes dans la posture de la Grue (page 216).

Équilibre du Sage sur une jambe

Eka Pada Galavasana Cette difficile posture d'équilibre sur les mains fortifie les poignets et les bras, exerce les muscles abdominaux et développe la concentration mentale et l'endurance.

1 Depuis la position debout, amenez la cheville gauche haut sur la cuisse droite, aussi près de son sommet que possible. Accroupissez-vous un peu et penchez-vous en avant pour faire travailler les muscles de la fesse droite.

2 La jambe de support fléchie, inclinez-vous en avant et posez les paumes sur le plancher, écartées de la larguer des épaules. Levez le talon droit, penchez-vous davantage en avant et passez le pied gauche autour du haut du bras droit, juste au-dessus du coude. Fléchissez la cheville pour ce faire. Posez le tibia gauche sur le haut du bras gauche.

3 Quand vous apprenez cette position, il est utile de poser le sommet de la

tête sur le plancher.

Portez davantage de poids sur les paumes et levez le pied droit de sorte que le genou soit derrière les coudes Ⓐ . Tendez la jambe droite en arrière dans les airs, puis levez la tête, étirant les deux aussi loin que possible Ⓑ . Faites travailler les muscles dorsaux pour étirer toute la colonne vertébrale. Maintenez de cinq à dix respirations, puis répétez de l'autre côté.

INFORMATION

CONTEMPLATION. Le bout du nez.

PRÉPARATION. Préparations pour le Demi-lotus, le Tripode, la Grue.

COMPENSATION. L'Enfant, Assouplissements des poignets, Flexion assouplissant les avant-bras, Long étirement des jambes.

SIMPLIFICATION. Ne levez pas la tête du plancher.

EFFET. Fortifiant.

4 Les plus avancés peuvent partir de la posture du Tripode (page 302). Fléchissez le genou droit et placez le pied sur le pli de l'aine gauche en posture du Demi-lotus (page 152). Fléchissez le genou gauche en le descendant.

5 Abaissez les jambes pour que le tibia gauche repose sur le sommet de la face postérieure du bras droit et le pied droit sur le sommet de la face arrière du bras gauche. Relevez peu à peu la tête et étirez la jambe gauche en arrière. Expirez, pliez la jambe gauche vers l'intérieur, replacez la tête sur le plancher et revenez à la posture du Tripode. Répétez de l'autre côté.

Le Corbeau sur le côté

Parsva Bakasana Cette posture en équilibre exige de la force dans les poignets, les bras, les épaules et les muscles abdominaux. Comme ces derniers travaillent intensément dans une torsion très active, les organes abdominaux sont tonifiés.

1 Tenez-vous debout, pieds joints. Fléchissez les genoux, levez les talons et accroupissez-vous. Pivotez vers la droite et posez les mains à plat sur le plancher, à côté du pied droit, en ligne avec les épaules. Les paumes sont à 30 cm au moins du pied, écartées d'un peu plus que la largeur des épaules. Le torse est aussi perpendiculaire que possible par rapport aux cuisses.

2 Fléchissez le coude gauche pour former une coquille où reposer les genoux. Appuyez les genoux aussi haut que vous le pouvez contre le bras gauche et accentuez votre torsion autant que possible. Transférez votre poids sur les mains. Si celles-ci sont assez avancées, levez les pieds à mesure que le corps se déplace en avant.

3 Tirez les talons vers les fesses.
Appuyez davantage les jambes contre le haut du bras, qui résiste. Contractez les poignets en agrippant fortement le sol avec les doigts, au point que leur bout blanchit.

4 Vous pouvez arriver à cette position depuis la posture du Tripode (page 302). À partir de là, joignez les genoux et les chevilles, fléchissez les genoux et ramenez les jambes à l'extérieur du coude gauche. Balancez les jambes autant que possible pour que le côté de la cuisse gauche repose sur la face postérieure du bras gauche et non pas sur son sommet. Éloignez peu à peu la tête du plancher tout en poussant les pieds vers le haut. Tendez les bras. Gardez le poids également distribué entre les mains.

5 Après cinq à dix respirations, pliez les bras, placez de nouveau la tête sur le plancher et revenez à la posture du Tripode, puis répétez de l'autre côté.

INFORMATION

CONTEMPLATION. Le bout du nez.

PRÉPARATION. La Grue, Équilibre plié en huit, la Chaise inversée, le Tripode.

COMPENSATION. Assouplissements des poignets, Flexion assouplissant les avant-bras, Long étirement des jambes, l'Étirement de l'est.

SIMPLIFICATION. a) Exercez-vous à passer le poids sur les paumes.
b) Quand vous pivotez sur la droite, placez la paume droite plus près. Cela permettra de reposer la hanche droite au creux du coude droit. **c)** Si vous partez du Tripode, ne levez pas la tête du plancher.

EFFET. Fortifiant.

Équilibre du Sage en pivotant

Eka Pada Koundinyasana Cette posture avancée d'équilibre combine un équilibre sur les bras et une torsion. Elle fortifie les poignets et les bras, exerce les muscles abdominaux et masse les organes abdominaux.

1 À partir du Chien museau vers le sol (page 162), avancez la jambe droite en travers, pour porter le pied droit à l'extérieur de la main gauche.

2 Fléchissez légèrement le coude gauche et placez la face externe de la cuisse droite aussi haut que possible contre la face postérieure du bras gauche. Vous effectuez ainsi une sorte de mouvement de torsion en avant.

3 Penchez-vous peu à peu en avant, en fléchissant les coudes et en portant le poids sur les mains. La cuisse droite appuie contre le haut du bras gauche. Équilibrez-vous sur les mains. Au début, posez la tête sur le plancher.

4 Étirez la jambe droite vers la gauche et la jambe gauche en arrière. Levez la tête et regardez devant vous. Le poids est également reparti entre les mains. Appuyez le bout des doigts sur le plancher pour protéger les poignets. C'est la posture finale. Maintenez de cinq à dix respirations.

5 Pour prendre cette posture, on part traditionnellement de la posture du Tripode (page 302). Fléchissez les genoux et abaissez la jambe droite à l'extérieur du coude gauche. Balancez la jambe autant que possible, de sorte que le côté de la cuisse droite repose sur la partie postérieure du bras gauche plutôt que sur son sommet. Étirez la jambe droite vers la gauche et la jambe gauche en arrière.

6 Levez progressivement la tête du plancher et regardez devant vous. Gardez les jambes droites. Maintenez la posture finale de cinq à dix respirations, puis expirez, fléchissez les bras et les genoux, reposez la tête sur le plancher et revenez à la posture du Tripode. Répétez de l'autre côté.

INFORMATION

CONTEMPLATION. Le bout du nez.

PRÉPARATION. Le Tripode, la Grue, le Corbeau sur le côté.

COMPENSATION. Le Chien museau vers le sol, le Chien museau vers le ciel, Long étirement des jambes, Assouplissements des poignets.

SIMPLIFICATION. a) Fléchissez le coude droit comme le gauche, et servez-vous-en pour soutenir la hanche droite. **b)** Gardez la jambe d'en dessous pliée. **c)** En partant du Poirier, n'éloignez pas la tête du plancher.

EFFET. Fortifiant.

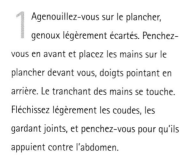

Le Paon

Mayurasana Cette posture classique
d'équilibre apporte de nombreux
bénéfices, si l'on en croit les textes
classiques du yoga. Les organes digestifs
et abdominaux reçoivent un apport accru
de sang grâce à la pression des coudes.
Elle fortifie aussi les muscles abdominaux
et les poignets.

1 Agenouillez-vous sur le plancher,
genoux légèrement écartés. Penchez-
vous en avant et placez les mains sur le
plancher devant vous, doigts pointant en
arrière. Le tranchant des mains se touche.
Fléchissez légèrement les coudes, les
gardant joints, et penchez-vous pour qu'ils
appuient contre l'abdomen.

2 Étirez les jambes en arrière pour que le
poids du corps repose sur les poignets
et sur la pointe des pieds. Avancez
lentement pour passer le poids du corps sur
les mains et levez les pieds du plancher.
Levez la tête et les jambes pour les éloigner
du plancher. Restez dans cette posture
pendant cinq à dix respirations. Les jambes

INFORMATION

CONTEMPLATION. Le bout du nez.

PRÉPARATION. Le Bâton soutenu sur les membres, la Sauterelle.

COMPENSATION. Assouplissements des poignets, la Montagne 2 (dans le Héros), Flexion assouplissant les avant-bras, le Chien museau vers le sol.

SIMPLIFICATION. a) Écartez légèrement les mains. **b)** Ne levez pas les pieds du plancher.

EFFET. Fortifiant.

peuvent être levées haut dans les airs. La variante la plus difficile de cette posture garde le tronc et les jambes parallèles au plancher.

3 Expirez, abaissez les pieds et remettez-vous à genoux.

mouvement rapide, complétez le Lotus, la cheville sur la cuisse. C'est la posture du Paon en lotus. Lors de la pratique, alternez le croisement des jambes.

4 Une variante est effectuée les jambes dans la posture du Lotus (page 152), que vous devez maîtriser parfaitement. Une fois que vous êtes en équilibre sur les mains, pliez une jambe et placez la cheville sur le haut de la cuisse. Pliez ensuite l'autre jambe et, d'un

Flexions vers l'arrière

Les flexions vers l'arrière réchauffent l'organisme, accroissent son énergie et le revigorent. Elles confèrent flexibilité à l'axe central du corps et fortifient les muscles dorsaux. Les flexions vers l'arrière compensent les flexions en avant qui dominent dans les mouvements quotidiens – lorsqu'on est assis, quand on conduit, pour accomplir les tâches ménagères, au travail.

Les flexions vers l'arrière
accroissent la
détermination
et la volonté.
Se tendre vers
l'inconnu aide
à affronter les
peurs de la vie. Elles ouvrent la poitrine tout en élevant
l'âme. L'ouverture de la poitrine favorise une meilleure
respiration. Le chakra du cœur s'élargit pour faire
entrer une vitalité joyeuse dans la vie.

▲

La Sauterelle

Salabhasana Cette posture est particulièrement fortifiante pour les muscles du bas du dos. Elle ouvre la poitrine, favorise une bonne respiration et dissipe la fatigue mentale.

1 Couchez-vous sur le ventre, jambes tendues et chevilles jointes. Posez le front sur le plancher, pour que la nuque soit allongée. Tendez les bras le long du corps, mains près des hanches, leur dos contre le plancher.

2 Assouplissez toute la partie avant du corps en vous abandonnant au soutien qu'offre le plancher. Serrez doucement les fesses, en faisant rouler les cuisses vers l'intérieur lorsque vous appuyez le bas de l'abdomen contre le plancher.

CONTEMPLATION. Le troisième œil ou levez le regard vers l'infini.

PRÉPARATION. Le Cobra, le Sphinx, le Crocodile.

COMPENSATION. Étirement des jambes. Couchez-vous sur le dos et serrez les genoux sur la poitrine.

SIMPLIFICATION. a) Alternez en levant uniquement les jambes, puis seulement la partie supérieure du corps avant de les lever ensemble. **b)** Gardez les mains sur le plancher, paumes vers le bas près des cuisses. Appuyez dessus en soulevant la poitrine.

EFFET. Revigorant, fortifiant.

3 Tendez les bras, en étirant le bout des doigts vers les pieds, en tombant les épaules et en ouvrant la poitrine.

4 Inspirez en relevant la poitrine et les jambes du plancher, en gardant les épaules droites et le cou allongé.

5 Levez les mains et les poignets en tendant le bout des doigts en arrière, vers les pieds. Respirez là pendant quelques souffles. En regardant vers le haut, rentrez quand même un peu le menton pour garder le cou et les épaules souples et détendus.

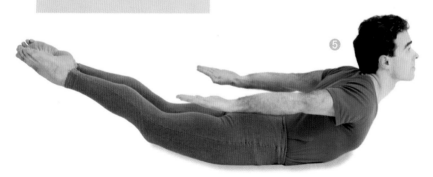

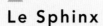

Le Sphinx

Bhujangasana II Cette flexion vers l'arrière couché sur le ventre fait monter la courbure spinale depuis le bas du dos jusqu'à la zone thoracique. La partie supérieure du corps s'incline en arrière moins facilement que le bas du dos. Cette posture assouplit les épaules et ouvre le chakra du cœur. C'est un parfait étirement pour la partie antérieure du corps.

1 Couchez-vous sur le ventre. Tendez les bras devant vous, paumes vers le bas. Écartez largement les doigts. Les jambes sont droites, les cuisses, les genoux et les chevilles joints. Laissez la partie antérieure de votre corps s'assouplir et s'abandonner. Étirez-vous à partir des épaules jusqu'aux coudes, puis jusqu'aux poignets et à travers le bout de chaque doigt.

2 Inspirez en levant la tête et la poitrine et glissez de nouveau les bras vers le corps jusqu'à ce que les coudes soient directement au-dessous des épaules. Roulez les épaules en arrière et tombez-les. Et déroulant la colonne vers le haut, rapprochez les omoplates des poumons. Allongez le bas du dos en tirant le coccyx vers le plancher.

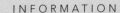

3 Appuyez en égale mesure les avant-bras et les paumes sur le plancher. Étirez-vous depuis les coudes jusqu'aux aisselles, en "tirant" la poitrine en avant vers le bout des doigts, de sorte que les côtes montent vers le haut des bras. Répartissez également la flexion vers l'arrière sur le dos, pour que son sommet et son milieu se cambrent davantage.

❸

4 Le regard doux, fixez l'immensité de l'infini en respirant dans l'espace du cœur. Sur l'expiration, tournez la tête sur le côté pour poser la joue sur le plancher. Soyez pleinement présent avec chaque sensation éprouvée. Répétez deux fois de plus.

❹

INFORMATION

CONTEMPLATION. Droit devant.

PRÉPARATION. Le Crocodile, la Sauterelle.

COMPENSATION. Le Fœtus, l'Enfant.

SIMPLIFICATION. a) Mettez le menton dans les mains en coupe, coudes sur le sol. **b)** Gardez une plus grande partie de l'abdomen en contact avec le plancher. **c)** Placez les coudes en avant des épaules.

EFFET. Énergisant.

Le Cobra

Bhujangasana I Cette flexion vers l'arrière exige davantage de force dans les bras que la posture du Sphinx. Elle ouvre la poitrine, stimule les organes digestifs et accroît la mobilité de la colonne vertébrale.

1 Couchez-vous sur le ventre. Placez les paumes sur le sol en dessous des épaules, doigts vers l'avant. Au fil de quelques expirations libératrices, rendez votre corps aussi long et vif que possible, vous étirant depuis l'arrière de la taille jusqu'à la plante des pieds, à travers le bas du dos, les hanches, les fesses, les cuisses et les mollets.

2 Rentrez le coccyx pour que le bas de l'abdomen appuie sur le plancher. Levez les genoux sans les plier, en gardant

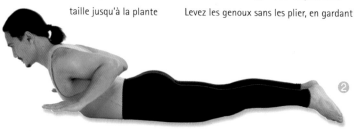

la pointe des pieds sur le plancher. Inspirez et relevez la poitrine sans vous appuyer en aucune façon sur les paumes. Maintenez pendant quelques respirations. Cette position *fortifie* le dos. Elle vous donnera une idée des muscles qu'il faut exercer et de leur force propre.

3 Ensuite, *mobilisez* le dos. Appuyez les paumes sur le plancher et continuez à arquer la colonne vertébrale en l'écartant du plancher. Joignez la face interne des jambes et des pieds lorsque vous appuyez le bas de l'abdomen sur le plancher et accentuez un peu plus la courbure du milieu du dos. Tirez en arrière la base des mains, comme si vous poussiez la poitrine à travers les bras.

4 Gardez les épaules souples et descendez le dos en tendant les bras. Rentrez le menton pour que la nuque reste allongée. Maintenez pendant quelques

INFORMATION

CONTEMPLATION. Le Troisième œil ou levez les yeux vers l'infini.

PRÉPARATION. La Guirlande, le Guerrier 1.

COMPENSATION. Flexion debout, Flexion longue reposante.

SIMPLIFICATION. Exercez-vous à prendre et à quitter la posture avant de la maintenir pour les périodes prolongées.

EFFET. Énergisant, fortifiant.

respirations de plus, en élargissant la poitrine sur l'inspiration et en allongeant la colonne vertébrale sur l'expiration.

5 Quand vous combinez cette posture avec un son sifflant sur chaque inspiration et une conscience de la ligne énergétique allant du périnée au sacrum, elle devient une *mudra*, le Sceau du serpent.

Le Chien
museum vers le ciel

Urdhva Mukha Svanasana Cette posture fortifie les poignets et les épaules, ouvre la poitrine et fait travailler l'ensemble de la colonne vertébrale. C'est l'une des postures de la séquence de Salutation au Soleil (page 42).

1 Couchez-vous sur le ventre. Placez les mains le long du corps, paumes vers le bas, doigts pointant en avant, en ligne avec les épaules. Les coudes sont proches du corps. Les pieds sont écartés de la largeur des épaules. Recroquevillez les orteils.

2 Inspirez, appuyez les paumes sur le plancher et soulevez légèrement le corps. À l'aide des mains et des pieds, tirez les hanches en avant en roulant sur les orteils, de sorte que la pointe des pieds repose sur le plancher. Redressez les bras et avancez la poitrine en la relevant. Gardez les jambes droites et actives. Faites jouer les muscles de la face antérieure des

poitrine ressortie et élevée. Les bras tirent
les mains vers les hanches (sans bouger les
paumes). Le haut des bras permet aux
côtes de monter pour que la poitrine
s'ouvre davantage. Inclinez doucement la
tête en arrière et regardez en l'air.

4 Sur l'expiration, fléchissez les genoux
et revenez sur le ventre.

5 Une autre façon de quitter la
posture est de rouler sur les
orteils sur l'expiration, en levant
les hanches en arrière, dans le
Chien museau vers le bas
(page 162), comme pour la
séquence B de la Salutation
au Soleil (page 42).

cuisses pour lever les genoux du plancher,
tout en maintenant les fesses relaxées. Le
poids du corps repose seulement sur le
sommet des pieds et sur les paumes.

3 Roulez les épaules vers le bas et en
arrière, en gardant la

Le Crocodile

Nakrasana Bien que la plupart des flexions vers l'arrière soient dirigées vers l'extérieur, celle-ci permet aux pensées de se tourner vers l'intérieur lorsque vous vous reposez. Le repos dans la posture du Crocodile permet de faire une pause sans voûter le dos pour compenser l'extension.

1 Couchez-vous sur le ventre. Inspirez en relevant la tête et la poitrine et glissez les bras en arrière vers le corps, pour ramener les coudes devant les épaules.

3 Détendez le ventre en allongeant la partie antérieure du corps, depuis le nombril jusqu'à la gorge. Créez un espace dans la zone lombaire.

2 Écartez largement les jambes et roulez les talons vers l'intérieur, pour que la face interne des cuisses, des genoux et des chevilles soit en contact avec le plancher. Tirez le coccyx vers les talons, contractez doucement les fesses et appuyez le pubis sur le plancher.

4 Relevez un peu plus la poitrine, croisez les avant-bras et placez chaque main en coupe sur le coude opposé.

5 Rentrez le menton pour que la nuque reste longue. Reposez le front sur les avant-bras. Si nécessaire, repositionner les coudes légèrement en avant ou en arrière pour que le front soit à l'aise. Étirez toute la face antérieure du corps à partir du bord interne des pieds jusqu'à la poitrine, en passant par la face interne des cuisses, le bassin et le ventre. Maintenez et respirez calmement. Relâchez sur l'expiration, tournez la tête et posez la joue sur le plancher.

INFORMATION

CONTEMPLATION. Les yeux clos.

PRÉPARATION. Le Cobra, le Sphinx, la Sauterelle.

COMPENSATION. Le Fœtus, l'Enfant, l'Enfant en extension.

SIMPLIFICATION. a) Joignez les jambes **b)** Placez les coudes plus en avant. **c)** Appuyez moins avec les coudes.

EFFET. Reposant, intuitif.

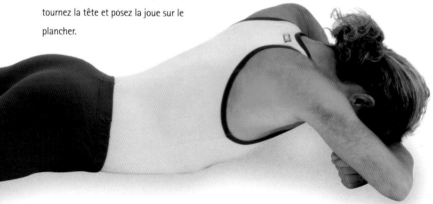

Le Croissant de lune

Anjaneyasana Cette posture étire les muscles de la partie antérieure des cuisses, y compris les muscles psoas iliaques qui sont contractés chez la plupart des gens. Elle tonifie les reins et le foie.

1 À partir d'une position agenouillée, avancez le pied droit, genou fléchi pour que la cuisse soit parallèle au plancher.

2 Étirez à travers la face avant de la jambe gauche depuis la hanche jusqu'au genou, puis à la cheville, ensuite le long du sommet du pied jusqu'à la pointe des orteils. Les mains sur le genou droit, faites un rapide mouvement en avant en vous penchant davantage sur lui, de sorte à percevoir l'étirement de la cuisse gauche.

3 Levez les bras au-dessus de la tête, en vous étirant jusqu'au bout des doigts lorsque vous faites monter la poitrine. La flexion vers l'arrière doit être assez confortable pour tirer le coccyx vers le bas afin

d'accroître l'étirement de la cuisse gauche. Tombez les hanches un cran de plus. Portez cette extension à votre maximum personnel.

4 Le bas du dos est la région qui se cambre naturelle-ment le plus. Faites monter la courbure dorsale vers le milieu du dos en levant avec

grâce les bras au-dessus de la tête et en faisant ressortir la poitrine. Les paumes se font face ou sont jointes, si cela n'engendre pas de raideur dans le cou ou les épaules.

5 Tournez le visage vers le ciel et levez le regard. Maintenez pendant quelques respirations et appréciez le croissant de lune ainsi formé. Sur l'expiration, replacez les mains sur le plancher, pour vous mettre à quatre pattes. Répétez de l'autre côté.

INFORMATION

CONTEMPLATION. Les mains.

PRÉPARATION. Le Chat, la Sauterelle, le Cobra, l'Arc, la Demi-grenouille, le Héros à moitié couché.

COMPENSATION. L'Enfant, le Chat, la Tête au genou.

SIMPLIFICATION. a) Gardez le bout des doigts à côté du pied avancé ou sur le genou avancé et suivez les mêmes instructions. **b)** Poussez moins fort sur le genou avancé. **c)** Gardez le genou avancé au-dessus de la cheville. **d)** Si nécessaire, placez un coussin sous le genou arrière.

EFFET. Activant.

La Grenouille

Bhekasana Cette posture aide à rendre plus flexibles les jambes, particulièrement les genoux, étire les quadriceps et les muscles psoas iliaques. Elle fortifie aussi les bras.

1 Couchez-vous sur le ventre. Faites monter les épaules et positionnez le bras gauche pour que le coude soit en dessous de l'épaule et la main en dessous du coude droit. Fléchissez le genou droit et attrapez le sommet du pied de la main droite. Les orteils pointent droit devant et non pas sur le côté.

2 Sur l'expiration, appuyez le pied en avant, les doigts de la main droite se tournant vers l'extérieur. Le coude monte jusqu'à ce que les doigts pointent en avant. Le coude pointant vers le ciel, appuyez sur le pied pour que la face interne du talon frôle le côté de la fesse et de la hanche (non pas le centre de la fesse). Si possible,

4 Pratiquez la posture complète.
Fléchissez les genoux et amenez les talons près des hanches, mains tenant les pieds. Faites pivoter celles-ci comme précédemment et appuyez sur les pieds en relevant la poitrine du plancher et en roulant les épaules en arrière. L'écartement des genoux doit être minimal. Les coudes sont tirés vers l'intérieur. Partez de la taille pour accroître la flexion vers l'arrière et créez un espace dans l'abdomen et la poitrine. Accentuez la flexion vers l'arrière pour y inclure les parties plus raides de la colonne vertébrale. Relaxez les épaules et le cou. Maintenez pendant cinq à dix respirations.

ramenez le talon sur le plancher. C'est la posture de la Demi-grenouille. Maintenez pendant cinq à dix respirations.

3 Pour accroître l'étirement de la face antérieure de la cuisse, appuyez le côté droit de l'aine sur le plancher et, si possible, relevez le genou fléchi. Ancrez-vous à travers le coude gauche pour accentuer la courbure du haut du dos. Expirez, relâchez le pied droit et redressez la jambe droite, puis répétez de l'autre côté.

L'Arc

Dhanurasana Dans cette posture, les bras sont pareils à la corde d'un arc, tendus par la force du corps et des jambes. La posture de l'Arc rend la colonne vertébrale flexible et tonifie les organes abdominaux. Elle peut atténuer le mal de dos.

1 Couchez-vous sur le ventre. Pliez les genoux pour rapprocher les talons des fesses. Tendez les mains en arrière pour attraper la face externe des chevilles. Les genoux sont écartés de la largeur des hanches. Commencez avec le front sur le plancher. Inspirez et tirez les pieds en arrière et vers le haut pour qu'ils s'écartent des fesses. Relevez les cuisses aussi haut que possible.

2 Levez ensuite la tête et la poitrine aussi haut que vous le pouvez. Gardez les bras tendus et tirez les épaules en arrière grâce à la force des jambes. En même temps, pour accentuer la courbure de cet arc, tirez en arrière les pieds avec les mains. C'est comme si vous vouliez plier les coudes sans y arriver parce que les pieds résistent. Inclinez la tête en arrière et levez le regard. Le poids du corps doit reposer uniquement sur

❶

INFORMATION

CONTEMPLATION. Le bout du nez.

PRÉPARATION. La Sauterelle, le Héros couché, le Croissant de lune.

COMPENSATION. L'Enfant, le Fœtus.

SIMPLIFICATION. a) Écartez les genoux. **b)** N'effectuez pas l'Arc latéral. **c)** Si vous avez du mal à atteindre les pieds avec les mains, passez une ceinture autour d'eux. **d)** N'effectuez qu'un côté à la fois (c'est la posture du Demi-arc).

EFFET. Énergisant.

l'abdomen. Maintenez pendant cinq à dix respirations. Vous constaterez qu'un balancement se produit naturellement sur le rythme du souffle.

pendant cinq respirations puis, sur une forte inspiration, revenez à la posture de l'Arc. Répétez de l'autre côté.

4 Expirez, abaissez les jambes et la poitrine et relâchez les pieds.

3 Pour la posture de l'Arc latéral, expirez et roulez sur la droite jusqu'à ce que l'épaule et le pied droits atteignent sur le plancher et que vous reposiez sur le côté droit du corps. Étirez l'abdomen et avancez la hanche pendant que les pieds poussent en arrière. Tournez la tête à gauche et levez le regard. Ne posez pas l'oreille droite sur le plancher. Maintenez

Posture de Gheranda

Sukha Gherandasana Cette posture est une combinaison de la posture de l'Arc (page 252) d'un côté et la Grenouille (page 250) de l'autre. Elle confère flexibilité à la colonne et étire les muscles de la cuisse. La pression de la respiration dans l'abdomen appuyé contre le plancher masse parfaitement les organes de cette région.

1 Couchez-vous sur le ventre. Fléchissez le genou droit et amenez le pied près de la hanche, en ligne avec le tibia, orteils pointant en avant. Attrapez le pied de la main droite et, sur l'expiration, poussez-le en avant et vers le bas, en tournant en même temps la main vers l'extérieur et en faisant ressortir le coude, jusqu'à ce que les doigts pointent en avant. En descendant, le pied doit frôler le côté de la hanche.

2 Fléchissez le genou gauche et attrapez la cheville en tendant la main gauche en arrière. Inspirez et relevez le pied gauche et la poitrine aussi haut que vous le pouvez, en appuyant en même temps de la main le pied droit vers le plancher. Ne roulez pas sur la droite, gardez les hanches

❶

au même niveau. Le bras gauche est tendu. Faites reculer les épaules grâce à la force de la jambe gauche. Inclinez la tête en arrière et levez le regard. Le poids du corps doit reposer sur l'abdomen. Élevez davantage le sternum pour qu'une côte de plus quitte le plancher. Maintenez pendant dix respirations lentes et profondes.

3 Expirez, relâchez les jambes et répétez de l'autre côté.

INFORMATION

CONTEMPLATION. Le bout du nez.

PRÉPARATION. L'Arc, la Grenouille, le Héros couché, le Cobra.

COMPENSATION. L'Enfant, le Fœtus, l'Enfant en extension.

SIMPLIFICATION. a) Pratiquez sur un seul côté. **b)** Avec un côté du corps dans la posture de l'Arc ou de la Grenouille, étirez en avant la main du côté opposé, en tendant la jambe loin en arrière. Si possible, levez les deux jambes du sol. **c)** Pratiquez l'Arc et la Grenouille.

EFFET. Énergisant.

Le Chameau

Ustrasana Cette posture prépare le corps
et le mental pour des flexions vers
l'arrière plus difficiles. Elle assouplit les
épaules, ouvre la poitrine et rend le bas
du dos flexible.

1 Agenouillez-vous pieds et genoux joints, hanches et tronc
verticaux. Le sommet des pieds repose sur le plancher, orteils
pointant en arrière. Placez les mains sur les hanches, pouces vers
l'épine dorsale, et étirez le torse depuis la base de la colonne vertébrale
et le bassin, en ouvrant la poitrine. Ne vous affalez pas sur le bas du
dos – rentrez le coccyx et allongez la face antérieure des cuisses.
Faites monter les clavicules. Rapprochez les omoplates en roulant les
épaules en arrière. Arquez le dos.

2 Tirez les muscles abdominaux vers la colonne vertébrale pour
protéger le bas du dos et laisser le haut du dos s'ouvrir en grand.
En maintenant cette tension musculaire, éloignez les mains
des hanches et tendez les bras en arrière. En
approchant les mains des talons, penchez-vous
lentement en arrière. Posez les paumes sur la

plante des pieds, doigts pointant en arrière. Faites reculer les épaules en les roulant et relevez les côtes inférieures, en arquant le dos autant que possible. Poussez les hanches en avant, pour que les cuisses soient verticales. Relaxez les fesses. Inclinez la tête en arrière sans tendre le cou. Étirez le menton.

Maintenez pendant cinq à dix respirations.

3 Ancrez-vous à travers les genoux et inspirez profondément pour vous redresser, en élevant le bassin grâce à la force des muscles fessiers. Pour terminer, asseyez-vous sur vos pieds.

INFORMATION

CONTEMPLATION. Le bout du nez.

PRÉPARATION. L'Arc, le Cobra, le Croissant de lune.

COMPENSATION. L'Enfant, la Tête au genou.

SIMPLIFICATION. a) Rentrez les orteils. **b)** Les genoux et les pieds sont écartés de la largeur des hanches. **c)** Un assistant vous soutient au niveau des omoplates quand vous vous penchez en arrière. **d)** Tendez tour à tour les mains en arrière. **e)** Gardez la tête haute, le regard fixé droit devant.

EFFET. Énergisant.

L'Étirement de l'est

Purvottanasana Cette posture étire fortement la partie antérieure du corps. En Inde, le yoga est traditionnellement pratiqué face à l'est – d'où le nom de cette posture. Elle fortifie les poignets et les bras, en plus d'assouplir les épaules. Cette posture compense les flexions assises en avant.

CONTEMPLATION. Le bout du nez.

PRÉPARATION. Le Chien museau vers le ciel.

COMPENSATION. Le Chien museau vers le sol, Long étirement des jambes.

SIMPLIFICATION. a) Gardez les genoux fléchis. **b)** Rapprochez les pieds et gardez les genoux à angle droit, pour former une sorte de table.

EFFET. Énergisant.

1 Installez-vous dans la posture du Bâton assis (page 104). Écartez les mains de la larguer des épaules, à 15 cm derrière le dos, doigts pointés vers les pieds. Inspirez, abaissez les mains et relevez les fesses, en portant le poids du corps sur les mains et les pieds. Tendez les bras et levez les hanches aussi haut que possible. Redressez les jambes et appuyez les orteils sur le plancher. Joignez les talons et les orteils, alors que les cuisses pivotent vers l'intérieur.

2 Les bras sont perpendiculaires au plancher pendant que le torse s'arque vers le haut. (Ne laissez pas les hanches s'affaler.) En regardant toujours le long du corps, faites monter les hanches jusqu'à ce que vous ne voyiez plus les orteils. Levez ensuite la poitrine jusqu'à ce que vous ne voyiez plus les hanches. Inclinez doucement la tête en arrière pour regarder derrière vous et étirez le menton. Élargissez la poitrine. Appuyez les paumes sur le plancher.

3 Restez dans cette posture pendant cinq à dix respirations lentes, puis expirez et revenez à la position du Bâton assis.

Le Pont

Setu Bandhasana Cette flexion vers
l'arrière fortifie et ouvre la poitrine, les
hanches, la zone lombaire et la face avant
des cuisses. Elle agit sur le système
nerveux pour revigorer l'ensemble du
corps.

1 Couchez-vous sur le dos, bras
derrière vous et genoux fléchis. Écartez
les pieds de la largeur des hanches, talons en
ligne avec les fesses et orteils pointant droit
devant. Appuyez fortement sur les pieds en
inspirant et relevez les hanches. Les fesses
s'éloignent du plancher.

2 Les bras tendus vers les pieds, joignez
les paumes derrière le dos, en
entrelaçant les doigts. Appuyez le tranchant
des mains sur le plancher, jointures des
doigts face aux talons. Levez plus haut les
hanches et roulez sur le sommet des épaules.

Rentrez le menton en gardant la nuque
longue. Poussez-vous vers le haut à travers
la face avant des cuisses. Tombez le coccyx
vers les genoux, qui sont joints pour se
positionner au-dessus des orteils. C'est la
posture du Pont.

3 Si votre Pont est assez haut, vous
pourrez effectuer la variante qui suit.
Gardez les hanches élevées et relâchez les
mains. Penchez-vous vers la droite pour
reposer sur la pointe du pied droit et

fléchissez l'avant-bras droit pour porter la paume sur le sacrum. Répétez sur le côté gauche.

4 Abaissez les talons sur le plancher et rétablissez la position haute du sternum et du pubis. Rapprochez les coudes et appuyez le haut des bras sur le plancher. Les pouces pressent le long de la colonne vertébrale à mesure que les doigts s'écartent largement vers les hanches. C'est la posture du Pont soutenu.

5 Pour avancer plus, essayez la posture du Pont sur une jambe. Joignez les pieds. Penchez-vous un peu vers la gauche, appuyez fortement la plante du pied gauche sur le plancher en inspirant et levez la jambe droite fléchie. Tendez le pied droit à la verticale. Maintenez pendant quatre à huit respirations, en levant bien les hanches et en vous étirant à travers le pied droit. Reposez-le sur le plancher sur l'expiration. Répétez de l'autre côté.

INFORMATION

CONTEMPLATION. Le nombril.

PRÉPARATION. La Sauterelle, le Cobra, le Chameau, l'Arc, la Grenouille.

COMPENSATION. Serrez les genoux sur la poitrine et oscillez d'un côté sur l'autre, le Poisson, l'Abdomen pivotant, le Lapin, la Tête au genou, Assouplissements du cou.

SIMPLIFICATION. a) Restez à la première étape. **b)** Au lieu de retenir longtemps la respiration, inspirez avec aisance, puis expirez plusieurs fois. **c)** Pour vous soutenir lors de la seconde étape, utilisez un support sous le sacrum.

EFFET. Fortifiant, élargissant.

Le Poisson

Matsyasana Cette posture honore Matsya (Poisson), avatar du dieu hindou Vishnu. C'est une flexion vers l'arrière qui ouvre fortement la poitrine et la gorge. Elle exige une certaine flexibilité de la région vertébrale thoracique. Prudence en cas de problèmes du cou, car celui-ci est très fléchi quand le sommet de la tête repose sur le plancher.

1 Couchez-vous sur le dos, jambes tendues. Glissez les bras derrière le dos, paumes sur le plancher sous les fesses.

2 Appuyez les avant-bras sur le plancher et gardez les coudes joints lorsque vous levez le haut des bras et les épaules en arquant la poitrine. Regardez droit devant, tête levée pour conduire l'arc montant de la poitrine vers la gorge. Éloignez le menton pour étirer la gorge. Inclinez le sommet de la tête en arrière, pour qu'il repose légèrement sur le plancher lorsque vous écartez

les coudes. Ici, il faut effectivement vous élever à partir du bas du dos et pousser le sternum vers le ciel. Lorsque la poitrine est assez haute, vous pourrez choisir le degré de pression avec lequel le sommet de la tête appuie contre le plancher.

3 Poussez le sternum vers le haut pour accentuer l'arc allant du bas de l'abdomen à la gorge. Rapprochez les omoplates pour faire descendre les épaules lorsque la poitrine monte une fois de plus. Joignez la face interne des jambes. Respirez profondément le long de la face antérieure du corps, en jouissant de l'ouverture élargie de cette posture.

Le Pont (variante)

Setu Bandhasana Dans cette posture, où les jambes et le corps forment un pont, le poids du corps repose entièrement sur le sommet de la tête et sur les pieds. Le Pont exerce une pression extrême sur la région cervicale de la colonne et ne doit pas être tenté par des personnes connaissant des problèmes dans cette zone.

1 Couchez-vous sur le dos. Fléchissez les genoux sur les côtés et placez les talons joints à quelque 60 cm des fesses, orteils pointant en dehors à 45°. Relevez la poitrine et arquez le dos autant que possible, en posant le sommet de la tête sur le plancher comme pour la posture du Poisson (page 262).

2 Posez les paumes sur le plancher au niveau des oreilles pour alléger le poids supporté par la tête. Expirez et levez les hanches aussi haut que possible, en vous équilibrant sur les pieds et le sommet de la tête. Redressez lentement les jambes et faites rouler la tête en arrière, en essayant de poser le front, ou même le nez, sur le plancher. Cette posture difficile impose une grande pression à la région cervicale Ⓐ. Croisez

❶

② Ⓐ

les bras et placez
les mains à plat sur les
épaules Ⓑ.

3 Remettez les mains sur le plancher. Expirez et
roulez en douceur la tête en rabaissant les hanches.
Redressez les jambes et couchez-vous
sur le dos.

② Ⓑ

INFORMATION

CONTEMPLATION. Le bout du nez.

PRÉPARATION. Le Chameau, le
Poisson.

COMPENSATION. Assouplissements
du cou, le Pont soutenu, Long
étirement des jambes.

SIMPLIFICATION. a) Les bras tendus,
attrapez le côté du tapis de yoga.
b) Augmentez la distance entre les pieds
tournés vers l'extérieur et les fesses.
c) Ne redressez pas en entier les jambes.

EFFET. Énergisant.

L'Arc ascendant

Urdhva Dhanurasana Cette considérable flexion vers l'arrière engage chaque muscle du corps. Elle ouvre fortement la partie antérieure du corps tout en étirant au maximum la colonne vertébrale. Cette posture exige une grande flexibilité des épaules et, une fois prise, de la force dans les bras pour la maintenir.

1 Couchez-vous sur le dos. Fléchissez les genoux et ramenez les talons aux fesses. Assurez-vous que la plante des pieds est en parfait contact avec le plancher. Les pieds, et en particulier les talons, sont votre base dans cette posture. Posez les paumes sur le plancher derrière les épaules, coudes pointant vers le haut, doigts étirés vers les pieds.

2 Levez les hanches du plancher et maintenez pendant un moment. Attendez le message interne pour savoir si vous êtes prêt à vous élever. Inspirez, pousser fort sur les paumes et levez la tête, puis inclinez-la en arrière, de sorte à appuyer légèrement le sommet de la tête sur le plancher. Maintenez pendant deux respirations, vous adaptant au sentiment d'être tête en bas et rassemblant votre force pour lever votre corps.

Sur une nouvelle inspiration, poussez les paumes et la plante des pieds contre le plancher et formez un arc en vous élevant. Tendez les bras, qui doivent être aussi droits que possible. Laissez pendre la tête, regard posé sur les mains.

Maintenez pendant cinq à dix respirations. Gardez les coudes droits et redressez davantage les genoux en ouvrant la partie avant du corps. Votre

corps arqué éprouve l'étirement depuis la face interne des poignets jusqu'aux avant-bras, le long du sternum, à travers l'abdomen et par l'avant des cuisses jusqu'aux pieds. Percevez l'allongement de la partie postérieure du corps.

Pour redescendre, expirez, fléchissez les bras et posez le sommet de la tête sur le sol. Sur une autre expiration rentrez le menton, fléchissez les bras et les genoux et posez le dos sur le plancher. Maintenez pendant quelques respirations avant de répéter deux fois de plus. Finissez par une posture de compensation.

INFORMATION

CONTEMPLATION. Le bout du nez.

PRÉPARATION. Le Pont soutenu, l'Arc, le Croissant de lune, le Héros couché, le Chien museau vers le sol.

COMPENSATION. L'Enfant, la Tête au genou, Long étirement des jambes.

SIMPLIFICATION. N'effectuez pas la dernière étape.

EFFET. Énergisant.

Le Bâton inversé

Dvi Pada Viparita Dandasana Dans
cette posture, le poids du corps repose
sur la tête, les avant-bras et les pieds.
Cette posture accroît la flexibilité de
toute la colonne vertébrale, surtout de
la région lombaire. Très stimulante.

1 Couchez-vous sur le dos. Fléchissez les
genoux et rapprochez les pieds (écartés
de la largeur des hanches) des fesses. Placez
les mains des deux côtés de la tête, doigts
pointant vers les pieds. Prenez quelques
respirations préparatoires. Levez haut
les hanches et, quand vous êtes
prêt, inspirez et effectuez l'Arc
ascendant (page 266).

2 Prenez là plusieurs
respirations, en
élargissant cette flexion
vers l'arrière à travers la
colonne vertébrale. Si vous avez besoin de
plus d'échauffement, recouchez-vous sur le
plancher et répétez l'Arc ascendant deux fois
de plus.

3 Posez le sommet de
la tête sur le
plancher. Une à une,
placez les mains
derrière la tête,
coudes sur le
plancher. Entrelacez
les doigts pour que
les mains tiennent

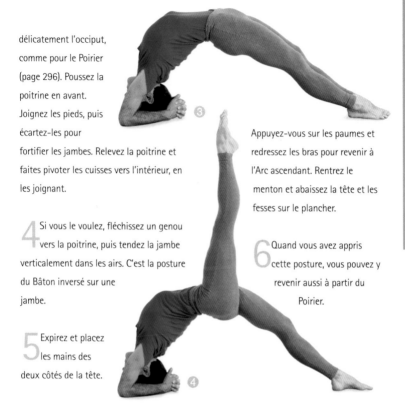

délicatement l'occiput, comme pour le Poirier (page 296). Poussez la poitrine en avant. Joignez les pieds, puis écartez-les pour fortifier les jambes. Relevez la poitrine et faites pivoter les cuisses vers l'intérieur, en les joignant.

4 Si vous le voulez, fléchissez un genou vers la poitrine, puis tendez la jambe verticalement dans les airs. C'est la posture du Bâton inversé sur une jambe.

5 Expirez et placez les mains des deux côtés de la tête.

Appuyez-vous sur les paumes et redressez les bras pour revenir à l'Arc ascendant. Rentrez le menton et abaissez la tête et les fesses sur le plancher.

6 Quand vous avez appris cette posture, vous pouvez y revenir aussi à partir du Poirier.

INFORMATION

CONTEMPLATION. Le bout du nez.

PRÉPARATION. Le Pont soutenu, l'Arc ascendant, le Poirier.

COMPENSATION. Long étirement des jambes.

SIMPLIFICATION. a) Ne redressez pas complètement les jambes. **b)** Les genoux fléchis, relevez les talons.

EFFET. Énergisant.

L'Arc avancé

Padangustha Dhanurasana Dans cette posture avancée de flexion vers l'arrière, les bras sont pareils à la corde d'un arc. Tonifie l'ensemble de la colonne vertébrale et de la région abdominale, en plus de faire travailler en profondeur les épaules.

1 Couchez-vous sur le ventre et passez à une flexion vers l'arrière pareille à celle de la posture du Sphinx. Fléchissez le genou droit pour lever le pied dans les airs.

2 En vous soutenant sur l'avant-bras gauche, levez la main droite du plancher et tendez-la en arrière vers le pied droit. Faites pivoter celui-ci vers l'extérieur et agrippez les orteils.

3 En glissant les doigts autour des orteils, tournez le bras vers l'extérieur en le levant, pour que le coude pointe vers le ciel. En même temps, tirez la jambe droite vers le haut.

③

4 Répétez de l'autre côté. Fléchissez le genou gauche et, en roulant en avant sur l'estomac, tendez la main gauche en arrière vers le pied. En tenant fermement le pied gauche, faites pivoter le coude vers l'extérieur.

5 Le poids du corps reposant sur l'abdomen, tendez les mains et les pieds vers le haut. Essayez de redresser les bras en accentuant la courbure du bas du dos. Maintenez pendant cinq à dix respirations, puis relâchez les pieds tour à tour et revenez dans la posture du Cobra (page 242).

INFORMATION

CONTEMPLATION. Le Troisième œil.

PRÉPARATION. L'Arc, le Croissant de lune, Équilibre sur les coudes, le Pigeon royal.

COMPENSATION. Le Chien museau vers le sol, Long étirement des jambes, le Sommeil yogique.

SIMPLIFICATION. a) Tenez un seul pied à la fois. **b)** Utilisez une ceinture passée autour des pieds.

EFFET. Énergisant.

⑤

Le Héros couché

Supta Virasana Cette posture étire merveilleusement la face avant des cuisses. Elle ouvre le périnée et intensifie la circulation dans les organes abdominaux.

1 Échauffez-vous d'abord dans la posture du Héros à moitié couché. Agenouillez-vous entre les talons pour vous asseoir dans la posture du Héros (page 120). Tendez une jambe devant vous sur le plancher. Posez les paumes derrière vous et inclinez la partie supérieure du corps en arrière. Levez un peu les fesses et tendez le coccyx vers les genoux pour allonger le bas du dos. Si possible, posez les coudes sur le plancher pour que les paumes se rapprochent des fesses. Une fois de plus, levez les fesses et rétablissez l'inclinaison postérieure du bassin afin que le pubis se rapproche des côtes. À partir de là, maintenez l'allongement du bas du dos et couchez-vous sur le dos. Tendez les bras sur le plancher au-dessus de la tête ou serrez les coudes dans les mains en coupe. Maintenez un moment, puis répétez de l'autre côté.

2 Pour effectuer la posture complète du Héros couché, commencez dans la posture du Héros, fémurs parallèles. Rapprochez les genoux en contractant doucement les fesses et en

tombant le coccyx. Adaptez votre bassin comme dans la position préparatoire. Levez les fesses et tirez le bas du dos, pour que le sacrum soit à plat lorsque vous descendez la partie supérieure du corps sur le plancher. Cela ouvre fortement la face avant des hanches et des cuisses. Les bras soit reposent le long des jambes, soit sont tendus au-dessus de la tête, soit sont pliés pour que les coudes soient tenus en coupe, accroissant ainsi l'ouverture de la poitrine.

3 Descendez les côtes flottantes en glissant le coccyx vers les genoux. Gardez de la colonne vertébrale autant que possible en contact avec le plancher en assouplissant et en ouvrant la partie antérieure du corps sur la respiration. Maintenez le menton rentré et la nuque longue. Pour vous relever, placez les paumes sur la plante des pieds ou à proximité, appuyez les avant-bras sur le plancher, inspirez et soulevez la poitrine.

4 Pour une variante plus stimulante, utilisez un traversin ou des couvertures pliées. Assis bien droit, placez l'extrémité étroite du traversin ou d'une à quatre couvertures pliées

INFORMATION

CONTEMPLATION. L'infini ou les yeux fermés.

PRÉPARATION. Le Héros, le Pont soutenu, le Chameau, la Grenouille.

COMPENSATION. L'Enfant, l'Enfant en extension, Long étirement des jambes, la Tête au genou.

SIMPLIFICATION. a) Écartez largement les genoux. **b)** Couchez-vous partiellement. **c)** Pratiquez la variante fortifiante.

EFFET. Élargissant.

contre le sacrum, puis couchez la colonne le long de ce support – c'est la posture du Héros à moitié couché. La nuque doit être sur la même ligne que la colonne vertébrale. Si le menton monte vers le plafond, rajoutez une couverture. Reposez le dos des mains sur le plancher. Fermez les yeux et couvrez-vous si vous avez froid. Restez ainsi jusqu'à dix minutes.

Le Pigeon

Kapotasana Cette flexion vers l'arrière élégante et difficile tonifie toute la colonne vertébrale et élargit la poitrine. En plus d'étirer les quadriceps, elle vise les muscles psoas iliaques des cuisses, région très tendue chez la plupart des gens.

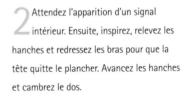

1 Installez-vous dans la posture du Héros couché (page 272), genoux joints. Rentrez le coccyx et étirez-vous à travers la face avant des jambes, ce qui allongera les vertèbres lombaires et permettra de tirer les côtes flottantes vers le centre du corps. Fléchissez les coudes et placez les mains des deux côtés de la tête, doigts pointant vers les pieds, coudes vers le haut. Prenez quelques respirations pour fortifier cette position.

2 Attendez l'apparition d'un signal intérieur. Ensuite, inspirez, relevez les hanches et redressez les bras pour que la tête quitte le plancher. Avancez les hanches et cambrez le dos.

3 Fléchissez un peu les coudes et déplacez les mains vers les pieds, puis reposez les coudes sur le plancher, en les rapprochant. Gardez les genoux joints.

INFORMATION

CONTEMPLATION. Le bout du nez.

PRÉPARATION. Le Croissant de lune, le Chameau, l'Arc ascendant, la Grenouille.

COMPENSATION. Long étirement des jambes.

SIMPLIFICATION. Asseyez-vous dans la posture du Héros, avec quelques supports sous les fesses, puis descendez lentement dans une flexion vers l'arrière soutenue par les bras. Attrapez les pieds avec les mains. Apprenez peu à peu à rapprocher les mains et effectuez la posture complète.

EFFET. Énergisant.

Expirez, rabaissez les jambes et les hanches et allongez-vous dans la posture du Héros couché.

Une fois cette posture maîtrisée, il est possible d'y revenir à partir d'une position agenouillée, puis de la quitter de la même manière.

Inclinez la tête en arrière et reposez-la sur le plancher entre les pieds (ou aussi près que possible). La posture est complète quand vous arrivez à attraper vos talons ou vos chevilles. Restez dans cette posture aussi longtemps que vous le pouvez, en maintenant la respiration aussi régulière et longue que possible.

Le Pigeon royal

Eka Pada Rajakapotasana Cette belle posture étire fortement les épaules et la colonne vertébrale. Elle aide aussi à régulariser les sécrétions hormonales, surtout celles de la thyroïde.

1 Prenez la posture du Chien museau vers le sol (page 162). Avancez la jambe gauche pour placer le pied derrière la main droite, de sorte que le genou soit derrière la main gauche. Faites glisser la jambe droite derrière vous en rapprochant les hanches du plancher. Étirez en arrière les orteils du pied droit. La fesse et la face externe de la cuisse gauche reposent sur le plancher. Détendez le bas du dos en vous déroulant à travers la poitrine. Laissez s'allonger la face avant de la cuisse gauche à mesure que les hanches descendent. Respirez là, en consolidant votre position.

2 Pliez la jambe droite et amenez le pied gauche aussi près que possible de la tête. Tournez le pied pour que les orteils pointent vers la droite. En vous

équilibrant sur la main gauche, tendez la main droite en arrière pour attraper les orteils. Tirez la jambe droite vers vous en faisant pivoter le bras vers l'extérieur et le haut. Prenez là quelques respirations.

3 Levez la main gauche du plancher et portez-la derrière la tête. En tenant des deux mains le pied levé, laissez la tête pencher en arrière et le pied droit avancer, de sorte que le sommet de la tête ou le front se posent sur la voûte plantaire. Maintenez pendant cinq à dix respirations.

4 Expirez, posez les mains tour à tour sur le plancher. Revenez en douceur à la posture du Chien museau vers le sol. Répétez de l'autre côté.

INFORMATION

COMPENSATION. Le Troisième œil.

PRÉPARATION. Le Croissant de lune, la Grenouille, le Dieu singe, le Pigeon.

COMPENSATION. Le Chien museau vers le sol, la Tête au genou, Long étirement des jambes.

SIMPLIFICATION. a) Surélevez les fesses en plaçant une couverture roulée sous le périnée. **b)** Utilisez une ceinture passée autour du pied levé.

EFFET. Énergisant.

Inversions

Les postures inversées améliorent la circulation sanguine et lymphatique, font travailler le cœur et renforcent le système immunitaire. On pense que les inversions équilibrent les hormones grâce à l'apport accru de sang aux glandes endocrines au niveau de la gorge. Étant donné que le maintien d'une position imposant une relation nouvelle avec la gravité exige une certaine stabilité du corps et

du mental, les inversions sont des postures apaisantes. Elles permettent de voir les choses sous un angle nouveau, diminuent la fatigue et développent la concentration. Comme les inversions calment le mental et apaisent l'organisme, elles sont pratiquées en général vers la fin d'une séance d'*asanas*, lorsque le corps est bien échauffé.

▲

La Chandelle du débutant

Viparita Karani Cette posture passive soulage la congestion des jambes et fortifie l'ensemble du système nerveux. Beaucoup d'inversions ne sont pas destinées aux débutants, alors que celle-ci peut être pratiquée en toute sécurité par tout novice au yoga.

1 Asseyez-vous la hanche et l'épaule droites contre un mur, genoux fléchis, talons rapprochés des fesses.

2 Maintenez la hanche près du mur en vous penchant en arrière sur vos mains. Levez les jambes sur le mur en vous soutenant sur les coudes. Posez ensuite le dos sur le plancher et vérifiez si votre corps est symétrique.

3 Les fesses proches du mur et les jambes verticales, choisissez la position de vos bras. Soit placez les paumes sur l'abdomen, soit les bras le long du corps, soit au-dessus de la tête, coudes légèrement fléchis. Si vous le désirez, passez une ceinture souple autour du milieu des cuisses, pour joindre les jambes sans effort. Détendez les épaules et laissez-les se

INFORMATION

CONTEMPLATION. Fermez les yeux et détendez-vous avec le souffle.

COMPENSATION. Toute posture debout.

SIMPLIFICATION. a) Fléchissez un peu les genoux si vous avez du mal à ramener les fesses contre le mur.
b) Fléchissez les genoux sur la poitrine si vos pieds s'engourdissent.

EFFET. Fortifiant, apaisant.

AVERTISSEMENT

Les inversions ne doivent pas être pratiquées en cas d'hypertension, de problèmes oculaires comme le glaucome ou le décollement de rétine, de menstruation. Demandez conseil à un maître expérimenté en cas de blessures précédentes du cou, problèmes cardiaques ou grossesse. La plupart des inversions ne sont pas conçues pour les débutants. Il est fortement conseillé de les apprendre auprès d'un maître expérimenté.

relaxer sur le plancher. Allongez la nuque. Accordez-vous au rythme de votre respiration.

4 La langue repose dans la bouche et les globes oculaires s'enfoncent dans les orbites. Maintenez pendant dix minutes, en respirant profondément à travers tout le corps.

5 Pour varier cette posture, joignez la plante des pieds et descendez les talons en les faisant glisser sur le mur. Les bords externes des pieds restent sur le mur et les genoux sont largement écartés . Comme variante laissez les jambes s'ouvrir dans un large "V" pour étirer la face interne des cuisses .

Le Chien museau vers le sol, jambe levée

Eka Pada Adho Mukha Svanasana
Cette posture induit un étirement des épaules et des poignets et accroît la flexibilité des muscles longs de la face postérieure des cuisses. Étant plus considérable que l'inversion classique, elle accroît la réaction cardiaque.

1 Joignez les pieds à partir de la posture du Chien museau vers le sol (page 162). Levez la jambe gauche parallèlement au plancher. Étirez le talon droit plus près du plancher en poussant le gauche plus loin. Faites pivoter la cuisse gauche vers l'intérieur, pour que les orteils pointent vers le bas. Appuyez les paumes sur le plancher avec une force égale et rapprochez la poitrine des cuisses. Gardez les épaules au même niveau par rapport au plancher. Maintenez pendant cinq respirations, puis abaissez la jambe.

Reposez-vous allongé si nécessaire. Répétez de l'autre côté.

2 Si vous pouvez lever haut la jambe, la variante suivante accroîtra l'étirement. À partir du Chien museau

1

INFORMATION

CONTEMPLATION. Le nombril.

PRÉPARATION. Le Chien museau vers le sol, Flexion d'une jambe.

COMPENSATION. La Montagne.

SIMPLIFICATION. a) Ne levez pas la jambe aussi haut. **b)** Gardez fléchi le genou levé. **c)** À partir de la position à quatre pattes, levez une jambe en arrière.

EFFET. Fortifiant, apaisant.

vers le sol, tournez vers l'extérieur les orteils gauches et levez la jambe vers le plafond comme auparavant. Cette fois-ci, les épaules ne restent pas au même niveau. Avancez l'épaule gauche, reculez légèrement l'épaule droite, en faisant pivoter la poitrine vers la gauche et en levant le regard par en dessous le haut du bras gauche.

3 Fléchissez le genou gauche et tombez le talon près des fesses. Tendez plus haut en arrière le genou fléchi, ce qui fera travailler l'abdomen et aidera à tonifier les organes. Percevez l'étirement de tout le côté gauche du corps, depuis la face interne du poignet jusqu'à la hanche, à travers l'aisselle et la poitrine.

Abaissez la jambe gauche sur l'expiration.

Répétez de l'autre côté.

Le Lapin

Sasankasana Cette posture étire bien le cou et les épaules. Comme l'intensité de la posture est contrôlable, c'est une bonne alternative pour ceux qui ne sont pas encore prêts pour le Poirier (page 296). Les effets sont rééquilibrants et apaisants.

1 Commencez dans la posture de l'Enfant (page 100). En maintenant les talons avec les mains, amenez le front aussi près des genoux que possible.

2 Sur l'inspiration, roulez en avant sur le sommet de la tête, de sorte que la poitrine s'éloigne des cuisses et les fesses montent. Sur l'expiration, abaissez les fesses et la poitrine en vous roulant vers la position de départ. Effectuez plusieurs fois ce mouvement sur le rythme de la respiration.

3 La dernière fois, maintenez les hanches hautes pendant quelques respirations. Les mains retenant fermement les talons, poussez loin la partie moyenne et supérieure de votre dos afin d'accroître l'espace entre les omoplates. Sentez la peau s'étirer dans cette zone à mesure que ces muscles assument une détente bien méritée. Poussez aussi les vertèbres du cou pour rouler sur le sommet de la tête. Fermez les yeux et profitez de l'étirement de la base du cou et du sommet des épaules.

❸

INFORMATION

CONTEMPLATION. Intérieure, yeux fermés, ou le nombril.

PRÉPARATION. L'Enfant.

COMPENSATION. Le Poisson, le Cadavre, Assouplissements du cou.

SIMPLIFICATION. a) Ne roulez pas jusqu'à vous tenir sur le sommet de la tête. **b)** Si vos articulations sont raides, pratiquez avec une couverture derrière les genoux ou sous les chevilles. **c)** Si le cou est raide, placez le front sur un traversin ou une couverture pliée. **d)** Rapprochez les mains des épaules.

EFFET. Équilibrant.

La Chandelle

Sarvangasana Dans cette position
inversée où le menton appuie contre la
poitrine, la circulation vers la thyroïde et
parathyroïde est accrue. Les glandes
endocrines cérébrales reçoivent aussi du
sang frais. Cette posture convient mieux à
la fin de votre séquence d'*asanas* – là, vous
pourrez réellement apprécier ses effets très
apaisants.

1 Bien que les personnes
expérimentées soient à l'aise en
pratiquant sur une
surface du genre
tapis moelleux
ou tapis de yoga, les couvertures pliées
éliminent la tension du cou chez les
débutants. Pliez en carré deux à trois
couvertures. Couchez-vous sur le dos sur
les couvertures bien alignées. L'occiput est
sur le plancher et le sommet des épaules à
environ 6 cm du bord des couvertures.
Fléchissez les genoux en les élevant.

2 Bandez les muscles abdominaux pour
ramener les jambes au-dessus de la
tête, genoux fléchis. Soutenez votre dos
avec les mains. À partir de là, rentrez les
épaules et rapprochez les coudes. Les bras
tendus, établissez une bonne base pour
cette posture.

3 Tendez bien les jambes dans les airs. Étirez les orteils. Rapprochez les coudes. Détendez le visage. Profitez de la Respiration glottique (page 332) lorsque le menton est rentré. Maintenez pendant vingt respirations ou tant que vous appréciez la position. Au fil des mois, prolongez la durée de cette posture jusqu'à cinq ou dix minutes.

INFORMATION

CONTEMPLATION. Les orteils.

PRÉPARATION. La Chandelle du débutant, le Pont soutenu.

COMPENSATION. Le Poisson, Assouplissements du cou, la Tête au genou.

SIMPLIFICATION. À partir de la Chandelle du débutant, pliez les genoux et poussez vos pieds sur le mur pour relever les hanches. Soutenez le bas du dos avec vos mains. Si possible, levez une jambe dans les airs, ou les deux.

EFFET. Équilibrant.

Inversions

287

4 N'oubliez pas que vous pratiquez la Chandelle, pas un "équilibre sur le cou". Les muscles du cou doivent rester relativement relaxés. S'ils sont tendus, pivotez davantage les cuisses pour ramener les jambes au-dessus de votre visage et alléger la pression. C'est la Demi-chandelle, qui convient mieux à la plupart des débutants. Si vous la combinez avec la conscience des *chakras* montant du plexus solaire jusqu'à la gorge, elle devient une *mudra*, le Sceau de l'effet inversé.

5 Pour quitter la position, amenez les jambes au-dessus de la tête. Appuyez les mains sur le plancher et redescendez de façon contrôlée.

Le Cycle de la Chandelle

Voilà une séquence qui réunit plusieurs variantes de la Chandelle (page 286). Si vous le voulez, incluez la Charrue (page 292) et la posture des Oreilles pressées (page 294). Maintenez chaque variante pendant cinq à quinze respirations.

La Chandelle une jambe tendue

Eka Pada Sarvangasana

À partir de la posture de la Chandelle, abaissez la jambe gauche au-dessus de votre tête. Si possible, posez les orteils sur le plancher. Levez la jambe droite verticalement, en visualisant une ligne d'énergie montant le long de sa face interne. Appuyez sur la pointe du pied droit et étirez tous les orteils. Pour rendre le dos encore plus droit, cambrez la région lombaire, puis les vertèbres du milieu du dos. Gardez les jambes droites. Après cinq à quinze respirations, levez la jambe gauche et répétez de l'autre côté.

La Chandelle en pivotant
Parsva Sarvangasana

Abaissez les jambes au-dessus de la tête et vers la
gauche. Faites pivoter le torse vers la gauche et
posez la main droite au centre du sacrum,
de sorte que le médius tombe sur le
pli fessier. Placez la main gauche
sur le plancher. Tournez davantage le
torse, puis abaissez la jambe gauche en arrière et
vers la droite. En même temps, avancez la jambe droite tendue en diagonale vers la
gauche, pour faire le grand écart dans les airs. Appuyez-vous sur les coudes et les épaules.
Affermissez les fesses et étirez bien les jambes jusqu'à la pointe des pieds.

La Chandelle en supination
Supta Kona Sarvangasana

À partir de la posture de la Charrue (page 292), écartez les pieds
pour former un grand "V". Si votre pied touche le plancher,
enlevez les mains du bas du dos et portez-les au-
dessus de la tête pour tenir en coupe les
orteils. Élargissez les épaules et répartissez-y
également votre poids. Pour revenir à la
position de la Chandelle, maintenez d'abord le dos
avec vos mains.

La Chandelle en lotus ascendant
Urdhva Padma Sarvangasana

Pour cette variante, les jambes sont dans la posture du
Lotus (page 152), que vous devez être capable
d'effectuer À partir de la Chandelle (page 286), fléchissez
le genou droit et posez le pied sur la partie gauche de l'aine.
Si nécessaire, aidez-vous de la main gauche pour positionner la
cheville. Pivotez à partir des hanches pour que les jambes se
rapprochent du visage. Fléchissez le genou gauche au-dessus du
genou droit. La main droite aide le pied à glisser sur la partie droite
de l'aine, pendant que vous vous soutenez de la main gauche.
Après dix à quinze respirations, relâchez les jambes, tendez-les
dans les airs et répétez, en croisant d'abord le pied gauche.

Le Lotus renversé
Urdhva Padmasana

À partir de la Chandelle en lotus ascendant,
pivotez au niveau des hanches pour avancer votre
lotus. Enlevez les mains du bas du dos et replacez-les
sur les genoux. Redressez les bras et, pour maintenir l'équilibre,
poussez les genoux vers le haut tout en poussant les jambes vers
le bas. Élargissez les épaules. Prenez dix respirations. À chaque fois
que vous effectuez cette posture, alternez le croisement
des jambes. Pour continuer cette position, abaissez les
jambes sur la poitrine. Entourez de vos bras l'ensemble
du Lotus pour serrer davantage les jambes. Tenez un
poignet avec la main opposée. C'est le Fœtus 1.

Équilibre sans soutien sur les épaules

Niralamba Sarvangasana

Si votre cou exige une attention particulière, prudence pour cette posture dépourvue du soutien stabilisant des bras. Préparez et échauffez le corps en pratiquant la Chandelle. Puis pivotez au niveau des hanches pour descendre légèrement les jambes au-dessus de la tête. Éloignez les mains du dos et tendez les bras. En faisant travailler les muscles dorsaux et abdominaux, faites revenir les jambes à la verticale. Étirez-vous depuis les épaules jusqu'à la pointe des pieds tendus vers le ciel. Gardez en action les muscles dorsaux. Maintenez pendant dix respirations régulières, puis revenez à la Chandelle.

La Charrue

Halasana Cette inversion rajeunit parfaitement l'ensemble du système nerveux. Les organes abdominaux sont contractés et tonifiés. Le cou et les épaules sont libérés de toute tension et la colonne vertébrale est étirée au maximum. On aboutit naturellement à cette position à partir de la posture de la Chandelle (page 286).

1 Couchez-vous sur le dos sur un tapis épais ou une couverture pliée. Les débutants placeront deux à trois couvertures pliées en trois sous le dos, les épaules et les coudes, de sorte que la tête soit plus basse. Ainsi, étendu à plat, tombez les épaules. Abaissez le menton vers la poitrine, en allongeant la nuque.

2 Fléchissez les genoux vers la poitrine. Appuyez fermement les paumes sur le plancher et étirez les pieds au-dessus de la tête, en tendant les jambes. Si les orteils n'atteignent pas le plancher, placez les mains sur le bas du dos. Ne forcez cependant pas, car cette position est une flexion très forte qui place beaucoup de poids sur les épaules et le cou. Gardez la tête en ligne avec le reste de la colonne vertébrale.

3 Posez les orteils recroquevillés sur le plancher, derrière la tête. Pour accentuer cette posture, levez les fesses en appuyant sur la face postérieure des jambes pour allonger les muscles longs des cuisses. Élevez la partie supérieure de la poitrine vers le menton, en amenant la colonne à une position plus verticale.

Joignez les paumes et entrelacez les doigts, en vous roulant davantage sur le sommet des épaules. Appuyez le tranchant des mains contre le plancher. Si possible, étirez les orteils pour que le sommet des pieds soit sur le plancher.

4 Pour quitter la position, posez les fesses sur le sol et utilisez les muscles abdominaux pour redescendre doucement les jambes, tout en gardant l'occiput sur le plancher. Pratiquez ensuite quelques postures de compensation, pour détendre le cou.

INFORMATION

CONTEMPLATION. Le bout du nez.

PRÉPARATION. Long étirement des jambes, le Lapin, la Demi-chandelle, la Chandelle du débutant.

COMPENSATION. L'Abdomen pivotant, la Tête au genou, le Poisson, Assouplissements du cou.

SIMPLIFICATION. a) Reposez les jambes (depuis la base des cuisses) sur un siège. **b)** Fléchissez les genoux. **c)** Posez les bras pliés sur le plancher, au-dessus de la tête.

EFFET. Calmant, stimulant.

Les Oreilles pressées

Karnapidasana Fort étirement en avant
qui exige beaucoup de flexibilité de la
colonne vertébrale, tout en plaçant une
grande pression sur le cou. Quand vous
êtes à l'aise, cette posture s'avère très
bénéfique, car vous êtes bien à l'abri en
vous-même.

1 À partir de la Charrue (page 292),
fléchissez les genoux et placez-les au
niveau des oreilles. Si vous arrivez dans cette
position à partir de la Chandelle (page 286)
sur des couvertures pliées, il est bien plus
difficile d'amener les tibias sur le plancher,
si bien que vous devez recroqueviller
les orteils. Pour faciliter l'élévation à
travers le tronc, étirez les bras sur
le plancher derrière vous et
entrelacez les doigts.

2 Posez les tibias et le sommet des
pieds sur le plancher, orteils pointant
au loin. Passez les bras par-dessus le creux
poplité – les mains s'agrippent mutuelle-
ment. Maintenez cette
posture de cinq à dix
respirations, avant de
soutenir le dos et de
revenir à la posture de la
Charrue.

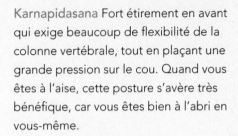

❶

INFORMATION

CONTEMPLATION. Le bout du nez.

PRÉPARATION. La Chandelle, la Charrue, Long étirement des jambes.

COMPENSATION. Assouplissements du cou, le Poisson, la Tête au genou.

SIMPLIFICATION. a) Reposez les genoux sur le front ou près des orbites. **b)** Recroquevillez les orteils. **c)** Ne ramenez pas les genoux sur le plancher. **d)** Soutenez votre dos avec les mains.

EFFET. Calmant.

3 Une posture plus difficile fait passer les bras au-dessus des jambes et place les mains sous la tête. Si vous combinez cette position avec la conscience du chakra du plexus solaire, elle devient une *mudra*, le Sceau du nœud coulant.

Le Poirier

Sirsasana Le Poirier a été appelé le roi des *asanas*, car ses bienfaits sont innombrables : il apaise le système nerveux, nourrit les cellules cérébrales, stimule le cœur et la circulation, équilibre le système hormonal et le système digestif, fortifie l'esprit.

1 Dans cette posture classique, le poids du corps repose sur la tête et les bras. Vu le poids respectif de la tête et du corps, un bon alignement et une préparation correcte sont essentiels. Placez devant vous une couverture pliée ou un tapis de yoga. Agenouillez-vous et posez les avant-bras sur la couverture, les coudes écartés de la largeur des épaules. Formez un triangle en entrelaçant

les doigts. Si vous vous servez d'un mur de soutien, les jointures des doigts se trouvant de 6 à 8 cm devant lui.

2 En effectuant le Poirier, il est important de monter depuis les coudes jusqu'aux épaules. Exercez-vous en appuyant sur les coudes et en élevant les épaules vers les hanches. Diminuez l'écart entre

❷

le plancher et le bord des poignets. Ces mouvements doivent augmenter la distance entre les épaules et les oreilles et éloigner la tête du plancher. Si vous n'arrivez pas à lever la tête, vous n'êtes pas prêt pour le Poirier. Améliorez d'abord votre souplesse et votre force par des exercices préparatoires.

3 Placez le sommet de la tête entre les poignets, l'occiput contre les mains. Pour un alignement correct du cou, le sommet de la tête (et non pas une partie du crâne située devant ou derrière cette zone) doit être en contact avec le plancher.

4 Rentrez les orteils et tendez les genoux pour former un "V" inversé. Rapprochez les pieds de la tête en ramenant peu à peu le poids du corps sur celle-ci.

INFORMATION

CONTEMPLATION. Le bout du nez.

PRÉPARATION. Le Lapin, le Chien museau vers le sol, Équilibre sur les coudes.

COMPENSATION. Pratiquez l'Enfant pendant quelques instants après la descente, la Chandelle, Assouplissements du cou.

SIMPLIFICATION. Demandez de l'aide à un maître expérimenté.

EFFET. Équilibrant.

5 Quand les pieds sont aussi proches de la tête que possible, levez-les du plancher (un à la fois ou, avec contrôle, les deux) et ramenez lentement les talons sur les fesses. Ancrez-vous à travers les coudes et le bord des poignets.

Le Poirier (suite)

À partir de cette base solide, rétablissez votre mouvement montant pour diminuer le poids placé sur la tête et le cou.

6 Une fois les pieds levés, tendez les jambes et étirez les talons vers le haut. Poussez de nouveau les coudes vers le bas et remontez les épaules. Si vous êtes près d'un mur, utilisez-le comme garde-fou et non pas pour vous soutenir. Les côtes flottantes ne doivent pas saillir. Si cela arrive, allongez le dos au niveau de la taille et contractez l'abdomen pour les rentrer. Vous apprendrez par la suite à lever les jambes

ensemble en les gardant droites. Gardez toujours les pieds joints et, le plus important, levez-les lentement, de façon contrôlée.

7 Au début, maintenez pendant cinq respirations. Augmentez lentement cette durée au fil des mois, jusqu'à arriver à dix minutes ou plus. Quittez la position en inversant les étapes et reposez-vous dans la posture de l'Enfant (page 100) pendant quelques respirations.

Le Poirier en pivotant

Parsva Sirsasana Dans cette variante du Poirier (page 296), le corps pivote de sorte que les jambes et les pieds soient tournés sur le côté. Le Poirier a plusieurs variantes. Une fois que vous pratiquez bien le Poirier, réunissez ces postures en une séquence pleine de grâce.

Pratiquez le Poirier. Appuyez fortement sur les coudes en éloignant les épaules du plancher.

Expirez et tournez-vous complètement vers la droite, en reculant la hanche droite et en avançant la gauche. Continuez à tendre les talons. Rentrez le nombril et les côtes flottantes pour empêcher le dos de s'arquer. La colonne vertébrale jouant le rôle de pivot central, tournez-vous autant que possible vers la droite. Gardez les coudes et la tête stables. Expirez, revenez au centre, prenez une respiration. Répétez de l'autre côté. Une variante, le Héros sur les côtés, fléchit les genoux pour s'approcher des fesses, puis pivote, en s'ancrant à travers les coudes.

INFORMATION

CONTEMPLATION. Le bout du nez.

PRÉPARATION. Le Poirier.

COMPENSATION. La Chandelle, l'Enfant, le Fœtus.

SIMPLIFICATION. Pratiquez contre un mur.

EFFET. Équilibrant.

Le Lotus renversé

Urdhva Padmasana Dans cette variante du Poirier (page 296), les jambes sont placées dans la posture du Lotus (page 152), qu'il faut bien maîtriser avant de tenter celle-ci.

Effectuez le Poirier et stabilisez-vous. Fléchissez le genou droit et ramenez le pied sur la partie gauche de l'aine. Fléchissez le genou gauche et ramenez le pied sur le genou droit. Faites-le ensuite descendre en le glissant le long de la cuisse, pour l'amener sur la partie droite de l'aine. Jouez un peu du pied gauche pour l'amener dans la posture du Lotus. Après dix à quinze respirations, expirez, redressez les jambes et répétez en croisant la jambe gauche en premier.

INFORMATION

CONTEMPLATION. Le bout du nez.

PRÉPARATION. Le Poirier, le Lotus.

COMPENSATION. L'Enfant, la Chandelle.

SIMPLIFICATION. a) Pratiquez contre un mur. **b)** Un ami vous aide à croiser les jambes.

EFFET. Équilibrant.

Le Bâton ascendant

Urdhva Dandasana Dans cette variante du Poirier, les jambes forment un angle de 90° avec le tronc, ce qui exige de la force abdominale.

Effectuez le Poirier. Équilibrez-vous bien. Établissez votre base en vous appuyant sur les coudes et en élevant les épaules. Abaissez lentement les jambes à une position horizontale, en les maintenant droites. Une ligne d'énergie va des cuisses aux orteils. Simultanément à l'abaissement, reculez les hanches pour maintenir votre équilibre. Gardez les genoux droits. Maintenez de cinq à dix respirations, puis revenez au Poirier, les jambes droites.

INFORMATION

CONTEMPLATION. Le bout du nez.

PRÉPARATION. Le Poirier, le Bateau.

COMPENSATION. L'Enfant, la Chandelle, la Charrue.

SIMPLIFICATION. a) Abaissez juste un peu les jambes. **b)** Reposez les pieds sur une chaise.

EFFET. Fortifiant.

Le Tripode

Salamba Sirsasana Cette variante du Poirier (page 296) place le poids surtout sur la tête, les mains permettant de garder l'équilibre. L'alignement de la tête avec la colonne vertébrale est très important. Cette posture est souvent utilisée comme point de départ pour certains équilibres sur les bras, comme l'Équilibre du Sage sur une jambe et en pivotant (pages 228 et 232).

1 Pour cette posture, une couverture pliée sera utile pour protéger la tête. Elle ne doit pas être trop épaisse, car vous avez aussi besoin d'une certaine fermeté pour stabiliser votre base et empêcher l'oscillation de la tête. Agenouillez-vous devant la couverture pliée. Placez dessus le sommet de votre tête. Les mains sont à plat sur le plancher, écartées de la largeur des épaules. Les doigts pointent en avant. Les coudes sont au-dessus des mains – ne les laissez pas se tourner en dehors.

②

2 Recroquevillez les orteils, redressez les genoux et rapprochez les pieds de la tête, en plaçant peu à peu le poids du corps sur celle-ci. Inspirez et appuyez les paumes sur le plancher de façon égale. Fléchissez les genoux et levez les pieds du plancher.

INFORMATION

CONTEMPLATION. Le bout du nez.

PRÉPARATION. Le Poirier, la Grue.

COMPENSATION. La Chandelle, Assouplissements du cou, l'Enfant, le Cadavre.

SIMPLIFICATION. a) Pratiquez contre un mur. **b)** Demandez conseil à un maître expérimenté.

EFFET. Calmant.

3 Prenez la posture complète du Poirier, pieds joints. En acquérant de l'expérience, vous pourrez maintenir les jambes droites. Gardez les coudes rentrés et poussez sur la base des pouces. Levez les omoplates et les épaules, loin du plancher. Étirez les pieds et rentrez les côtes flottantes, en gardant le corps très droit, comme pour la posture de la Montagne (page 46). Si besoin est, adaptez l'équilibre avec les mains.

4 Maintenez pendant cinq respirations. Au fil des mois de pratique régulière, passez à cinq ou dix minutes. Descendez de la même manière que vous vous êtes élevé et reposez-vous ensuite dans la posture de l'Enfant (page 100).

③

Équilibre sur les bras

Adho Mukha Vrksasana Cette posture ressemble à l'appui renversé du gymnaste, qui présente en général un défi mental aux adultes. Elle exige de surmonter la peur de l'inconnu en faisant voler les jambes vers le ciel. En plus de faire appel à la concentration mentale pour maintenir l'équilibre, cette posture développe la force des épaules, des bras et des poignets.

1 Effectuez le Chien museau vers le sol (page 162), les mains placées à 15 cm du mur. Si les doigts sont plus proches, monter les jambes à la verticale sera plus difficile. Les paumes sont écartées de la largeur des épaules, les médius pointent vers le mur. Assurez-vous que les mains sont dans une position symétrique. Avancez jusqu'à ce que les épaules soient exactement au-dessus du bout des doigts. Vous êtes sur la pointe des pieds. À partir de là, la progression naturelle incite à lancer les jambes vers le haut.

2 Décidez de la jambe dominante. Pliez l'autre, le talon près de la fesse.

3 Pliez la jambe de support et sur l'inspiration, lancez-la pendant que l'autre monte en oscillant, en essayant de toucher du talon le mur. Laissez les hanches monter aussi. Les jambes doivent donner la

CONTEMPLATION. Le bout du nez.

PRÉPARATION. Le Chien museau vers le sol, le Chien museau vers le sol, jambe levée, le Poirier.

COMPENSATION. L'Enfant, le Fœtus, Assouplissement des poignets.

SIMPLIFICATION. Placez une pile de supports entre les mains et posez la tête dessus.

EFFET. Équilibrant.

5 Quand vous avez maîtrisé la montée d'une jambe à la fois, apprenez à élever les deux ensemble. Pour cela, il faut pousser fortement et disposer d'une considérable force abdominale. La séquence de mouvements implique en premier lieu de porter les épaules au-dessus du bout des doigts. En vous élevant, fléchissez les genoux, cuisses proches du torse. Les hanches s'alignent au-dessus des épaules. Tendez les jambes.

sensation de frapper l'air – visualisez un danseur voltigeant dans les airs. Joignez les pieds et étirez les talons.

4 Une fois à la verticale, ne retenez pas votre respiration. Agrippez le plancher des doigts, au point que leur bout blanchisse. Tendez bien les bras et fixez du regard un point situé entre les mains ou légèrement devant elles. En éloignant en douceur les talons du mur, allongez le dos pour rentrer les côtes flottantes et favoriser l'équilibre. Maintenez de cinq à dix respirations.

6 Apprenez peu à peu à trouver votre équilibre sans vous servir du mur, puis tentez la posture loin de celui-ci.

Équilibre sur les coudes

Pincha Mayurasana Cette posture, qui exige de la flexibilité, travaille fortement les épaules. Le poids du corps repose entièrement sur les coudes et les avant-bras. Elle développe la force des épaules et des bras, en plus d'étirer l'abdomen.

1 Placez une couverture pliée ou un tapis de yoga devant vous. Au début, pratiquez contre un mur. Agenouillez-vous devant votre couverture et posez dessus les avant-bras parallèles, coudes écartés de la largeur des épaules. Les paumes sont à plat sur le plancher.

2 Recroquevillez les orteils et redressez les genoux pour former un "V" inversé. Si

les pouces se sont rapprochés, remettez-les en place pour que les avant-bras restent parallèles.

3 Rapprochez les pieds des bras, en reportant peu à peu le poids du corps sur les coudes, puis lancez tour à tour les jambes vers le haut, en les gardant bien droites. Joignez les pieds, tendez les jambes et étirez les talons. Si vous pratiquez contre un mur, éloignez-en les

4 Depuis cette posture vous pouvez passer au Scorpion, position inversée avancée énergisante et fortifiante comprenant une forte flexion en arrière.

5 À partir de l'équilibre sur les coudes, appuyez-vous sur les poignets. Redressez le corps et prenez quelques respirations. Expirez, fléchissez les genoux, levez la tête et inclinez-la en arrière. Cambrez la colonne vertébrale et abaissez lentement les pieds jusqu'à ce que leur plante repose sur le sommet de la tête ou près de lui. Rapprochez les genoux autant que possible. Relevez la poitrine en l'éloignant des épaules – c'est la posture du Scorpion.

pieds. Le visage vers le plancher, appuyez-vous sur les coudes et élevez-vous à travers les épaules. Le haut des bras reste perpendiculaire au plancher. Rendez la colonne vertébrale encore plus verticale. Pour empêcher les côtes flottantes de saillir excessivement, allongez le dos au niveau de la taille et contractez l'abdomen. Maintenez de cinq à dix respirations, puis redescendez en inversant le processus.

6 Maintenez de cinq à dix respirations, puis soit revenez à la posture de départ, soit redressez un peu les jambes pour arriver à la posture de l'Arc ascendant (page 266). À partir de cette position, allongez-vous sur le plancher ou, si vous êtes expérimenté, redressez-vous dans la posture de la Montagne (page 46).

Relaxation

La relaxation yogique permet au corps d'assimiler les effets de la pratique. Durant cette période de repos, le *prana* activé par les postures peut être utilisé pour guérir et charger en énergie l'organisme. Les pratiquants du yoga savent qu'une période de relaxation yogique convient mieux qu'une sieste lorsqu'on est fatigué dans la journée. On sort de cette relaxation revivifié et rafraîchi, avec une énergie accrue.

Plus on pratique, mieux on se porte !

Le rythme trépidant de la vie induit naturellement le repos après le travail. En relâchant progressivement la tension du corps, du mental et des émotions, on apprend à accéder à une profonde paix intérieure.

Plus de prise, plus de saisie, plus besoin de tenir bon.

Réapprenez à lâcher prise.

Le Cadavre

Savasana Le fait d'être couché sur le plancher les yeux fermés permet au corps de se relaxer complètement. Au début, cette posture peut s'avérer étonnamment difficile, car le mental très absorbé empêche d'atteindre la paix présente au tréfonds du corps au repos. Avec de la pratique, le mental et le corps s'apaiseront plus facilement.

1 Couchez-vous sur le dos, jambes tendues, bras le long du corps, paumes vers le haut, yeux fermés. Levez légèrement les fesses, en allongeant le bas du dos pour que le sacrum soit à plat sur le plancher, puis laissez la colonne vertébrale s'étirer jusqu'au sommet de la tête.

2 Tendez les jambes, poussez les talons au loin puis détendez complètement les jambes, pieds tournés sur les côtés.

3 Laissez les épaules s'assouplir et se détendre totalement. Rentrez le menton pour que la nuque s'allonge.

4 Desserrez les dents et entrouvrez les lèvres. La langue flotte au milieu de la bouche, derrière les dents du bas.

5 Imaginez les globes oculaires s'enfonçant dans les orbites. Lissez la peau du front. Laissez aller la tension autour des yeux, comme si vous effaciez les pattes d'oie.

6 Portez votre attention sur le souffle. Laissez l'air entrer et sortir librement du corps par les narines. Imaginez respirer l'ensemble de votre corps, depuis le sommet de la tête jusqu'à la pointe des pieds.

7 À mesure que la respiration s'approfondit, le corps s'assouplit et s'étale sur le plancher. C'est comme si vous vous relaxiez depuis l'extérieur vers l'intérieur. Plongez dans les couches les plus profondes du corps, où tout est fluide. Dans cette posture, outre un intense lâcher prise, naît aussi un sentiment d'expansivité.

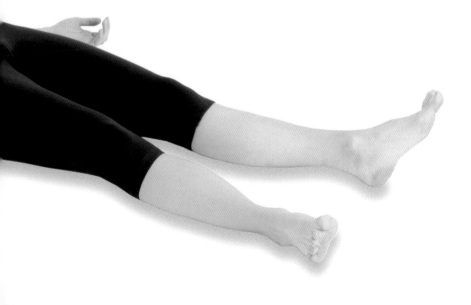

Relaxation
au cours de la pratique

Les postures suivantes sont utiles lorsque vous devez vous reposer pendant votre pratique. Les postures anti-stress à partir de la page 350 sont plus exigeantes quant au positionnement, mais conviennent parfaitement au début et à la fin d'une séance.

Une nouvelle posture peut toujours présenter un véritable défi. On a l'impression qu'elle exige tout ce qu'on peut donner et ne laisse pas de place à la relaxation. Si une posture compote 95 % de l'effort et 5 % de détente, la pratique paraîtra difficile. Toutefois, en étant plus à l'aise dans une posture, on constate qu'elle devient moins contraignante. On devient capable de maintenir une posture physique complexe, tout en disposant du temps nécessaire pour y introduire un élément de soin personnel. Le rapport travail/détente passera à 80/20, puis à 70/30, etc.

La posture devient ainsi stable (*stira*) et confortable (*sukha*). Puisque la stabilité et le confort se développent par une pratique régulière, vous profiterez davantage du yoga à mesure que votre sentiment de liberté s'accroît.

L'Enfant, page 100, et sa variante **L'Enfant en extension**, page 102.

Flexion longue reposante
Uttanasana

Accorde une pause durant les postures
debout. Modifiez la Flexion debout
(page 68) en écartant les pieds de la
largeur des hanches et en fléchissant
les genoux pour reposer la poitrine sur les
cuisses ou près de celles-ci. Laissez les bras
pendre ou croisez-les. La tête pend comme
celle d'une poupée de chiffons. Le visage
s'assouplit, les muscles
faciaux se détendent.

Long étirement reposant des jambes

Au lieu de garder les jambes droites, pliez-
les jusqu'à reposer les côtes sur les cuisses.
Laissez pendre la tête, peut-être en
amenant le visage entre les genoux.
Trouvez la position la plus détendue pour
vos bras. Sentez-vous très soutenu.

Le Fœtus, page 103.

Le Crocodile, page 246.

Le Cadavre, page 310.

Pranayama

Le souffle, la vie et l'énergie sont
intrinsèquement connectés. Les yogis
n'ont qu'un seul terme pour désigner
tous les trois – *prana*. Le
pranayama, le contrôle du
souffle, accroît la vitalité et la
concentration mentale, outre
élargir de plus la conscience.
Le souffle agit comme un
pont pour le système nerveux.
En explorant les pratiques

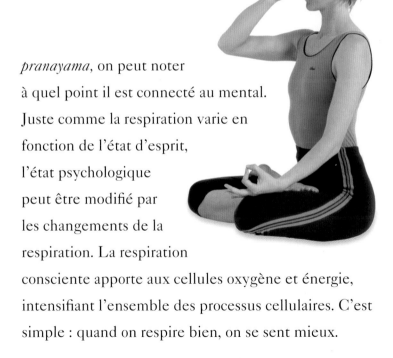

pranayama, on peut noter
à quel point il est connecté au mental.
Juste comme la respiration varie en
fonction de l'état d'esprit,
l'état psychologique
peut être modifié par
les changements de la
respiration. La respiration
consciente apporte aux cellules oxygène et énergie,
intensifiant l'ensemble des processus cellulaires. C'est
simple : quand on respire bien, on se sent mieux.

Respiration égale

Sama Vritti Pranayama Cet exercice aide
à laisser aller le stress et à revenir à sa
base. Il développe la conscience du souffle
et, en impliquant totalement le mental, est
bon pour la concentration. De plus, cet
exercice équilibre le mental et convient en
cas d'anxiété ou de troubles du sommeil.
On peut le pratiquer partout.

1 Allongez-vous ou asseyez-vous
confortablement et commencez par
prendre conscience de votre respiration
naturelle. Après un moment, mettez-vous à
compter mentalement. Faites durer l'inspiration et l'expiration en comptant jusqu'à 4
pour chacune. Réalisez de cinq à huit séries.

2 Augmentez la durée de l'inspiration et
de l'expiration en comptant jusqu'à 5.
Après environ cinq séries, comptez jusqu'à 6.
Vérifiez les sensations de votre corps et de
votre mental. Si une tension apparaît dans
certaines zones, maintenez le corps relaxé.

3 Comptez jusqu'à 7 pour l'inspiration
et l'expiration. Une fois de plus,
passez en revue votre corps pour vous
assurer qu'aucune tension ne s'y est
accumulée. La peau du front est détendue,
tout comme les muscles des mâchoires.

4 Après cinq à dix séries, comptez
jusqu'à 8. Si vous avez l'impression
que cette respiration prolongée provoque
un stress, revenez à un chiffre qui allonge
le souffle sans susciter de tension. Forcer
quoi que ce soit est contre-productif.

5 Si vous êtes à l'aise, comptez jusqu'à 9. Détendez la peau de votre visage. Relaxez la langue. Après un moment, comptez jusqu'à 10. Quel que soit le chiffre final, continuez cette respiration longue et régulière pendant plusieurs séries. Respirez ensuite naturellement pendant dix séries.

Observez les sensations de votre corps en ce moment même. Comment se porte votre mental ? Votre âme ? Vous vous sentez probablement plus relaxé que lorsque vous avez commencé. À la fin de la pratique, décidez de maintenir une connexion avec cette relaxation durant la journée.

Bourdonnement de l'abeille

Bhramari Écouter le son de sa propre respiration s'avère très réconfortant. Cette pratique calme les émotions et atténue la colère ou l'anxiété en reconnectant l'individu à la pulsation rythmique nourrissante de son être. Une pratique régulière intensifie instantanément le sentiment de bien-être.

1 Choisissez toute posture assise confortable, la Posture facile assise (page 106), la Posture parfaite (page 112), le Lotus (page 152), agenouillez-vous ou asseyez-vous sur une chaise. Vous pouvez aussi vous asseoir sur le plancher en rapprochant les genoux fléchis du corps. Reposez les coudes sur les genoux et rabattez le pavillon des oreilles avec les index. La colonne vertébrale s'étire en montant, le chakra du cœur s'ouvre sans que la poitrine ressorte excessivement. Les épaules, le cou et le visage sont assez détendus.

2 Fermez les yeux et ramenez votre attention sur le ventre, le cœur, la gorge, la tête. Inspirez lentement, en gonflant les poumons à un volume confortable. En expirant, émettez un bourdonnement à partir du palais. Tout ce processus constitue une série. Effectuez dix séries ou continuez pendant quelques minutes.

3 Puisque l'expiration est maintenant prolongée, il est important d'inspirer posément. Ne vous précipitez pas dans l'expiration suivante, prenez votre temps pour emplir lentement les poumons d'air.

4 Concentrez-vous uniquement sur le bourdonnement. Expérimentez avec les tonalités jusqu'à en trouver une qui semble plaisante. Sentez la vibration du son se répandre à travers votre cerveau. Observez les vibrations au niveau du visage, de la poitrine et du reste du corps.

INFORMATION

CONTEMPLATION. Les yeux fermés.

PRÉPARATION. Il est bon de pratiquer après les *asanas*.

APRÈS LA PRATIQUE. Terminez par la Méditation assise ou la posture du Cadavre.

SIMPLIFICATION. a) Les inspirations doivent être longues. **b)** Faites une pause si vous êtes pris de vertige.

EFFET. Calmant.

5 Quand vous avez achevé l'exercice, restez tranquillement assis. Observez pendant un moment les sensations qu'a fait naître la vibration sonore traversant votre corps. Ne bougez pas un muscle ! Plus vous restez tranquille, plus vos capacités d'observation s'intensifient.

▲

Respiration alternée par les narines

Nadi-Sodhana Cette pratique purifie les canaux énergétiques (*nadis*) et équilibre le flux d'énergie entre le côté gauche et le côté droit du corps. Elle est spéciale-ment bénéfique quand on a besoin de se recentrer. Elle conduit à la méditation.

1 Asseyez-vous dans une position facile à maintenir, vous permettant de garder le dos bien droit. Le dos de la main gauche repose sur le sommet du genou gauche, le bras tendu. Le pouce gauche touche l'index dans la Mudra du menton (page 334).

2 Pliez le bras droit et, en gardant le coude à hauteur des épaules, reposez le bout du pouce droit sur l'arête du nez, juste au-dessus de la narine droite.

3 Le bout de l'annulaire droit repose sur l'arête du nez, juste au-dessus de la narine gauche. L'auriculaire est collé à l'annulaire. Placez l'index et le médius au centre des sourcils. C'est la Mudra du nez.

4 Fermez la narine droite avec le pouce et inspirez par la narine gauche. À la fin de l'inspiration, fermez la narine gauche avec l'annulaire et éloignez le pouce, pour expirer par la narine droite. Ce processus constitue une série.

5 Effectuez entre sept et dix séries. Si vous préférez, utilisez le pouce gauche pour compter les séries sur les phalanges des doigts de la main gauche. Placez le bout du pouce sur le bout de l'index, puis descendez sur ce doigt. Passez au médius et ainsi de suite, la douzième série vous amenant à la base de l'auriculaire.

6 À mesure que vous vous habituez à cette pratique, vous effectuerez deux autres cycles de douze séries, en faisant descendre la main et en respirant naturellement entre chaque cycle.

7 Une fois que cette technique devient aisée, prolongez peu à peu la respiration. Comptez en silence la durée de l'inspiration et de l'expiration, qui doivent couvrir un laps de temps identique. Une fois cet objectif atteint, prolongez la respiration d'une unité et effectuez quelques séries. Si vous êtes toujours relaxé, augmentez d'une autre unité. Tant que la respiration reste régulière et sans heurts, ajoutez une unité. Si vous remarquez un quelconque changement ou une perturbation de la respiration, raccourcissez sa durée du cycle.

8 Pendant la pratique, ne laissez pas le coude droit tirer la partie supérieure du corps en avant ou sortir la tête de l'alignement. Pour vous concentrer plus facilement sur la respiration, fermez les yeux. Quand vous avez achevé l'exercice, replacez la main droite sur le genou droit. Restez les yeux fermés en respirant naturellement aussi longtemps que vous le voulez, en savourant la sensation d'espace interne et de sérénité intérieure que cette pratique peut vous apporter.

Respiration glottique

Ujjayi Pranayama Utilisez cette respiration d'un bout à l'autre de votre pratique des *asanas*. *Ujjayi* signifie "victorieux" ou "en expansion". Ici, la respiration se réalise au niveau du thorax et non pas de l'abdomen. La poitrine est par conséquent gonflée, d'où le nom sanskrit.

Une autre caractéristique essentielle de la respiration glottique est le faible son produit par l'air dans la gorge. Il est possible que le terme *Ujjayi* vienne du mot *Ujjapi*, "énoncé à haute voix". Ce son est produit en fermant partiellement la glotte, de sorte qu'un léger sifflement accompagne l'inspiration et l'expiration. Ce bruit est perçu comme une légère contraction de la gorge qui aide à régler le flot d'air. Lors de la respiration glottique, comme pour de nombreuses autres formes du *pranayama*, la bouche est fermée et la respiration prend place exclusivement par le nez.

Cet exercice *pranayama* est très énergisant et, de ce fait, est mieux effectué en association avec le Verrou abdominal (page 338) et le Verrou racine (page 340) (*bandhas*). L'utilisation des *bandhas* maîtrise l'énergie produite par la respiration glottique. La combinaison des *bandhas* et de la Respiration glottique confère une nouvelle dimension à la pratique des *asanas*.

1 Asseyez-vous sur le plancher en une posture confortable où le dos peut rester bien droit. Gardez le menton parallèle au plancher pour que la tête soit équilibrée,

sans pencher ni en avant ni en arrière. Détendez les épaules. Fermez les yeux. Tout au long de l'exercice, maintenez l'attention sur la gorge, la poitrine et l'abdomen, sans laisser vagabonder les pensées.

2 Expirez à fond. Contractez légèrement les muscles du périnée – c'est le Verrou racine (page 340). Avant d'inspirer de nouveau, dirigez votre attention sur la zone abdominale et activez les muscles abdominaux, en rentrant légèrement le nombril – c'est le Verrou abdominal (page 338).

3 Inspirez lentement et profondément par les narines, en gardant l'abdomen immobile. Fermez en partie la glotte (comme si vous avaliez) pour produire un léger sifflement. La respiration doit être détendue, contrôlée, jamais forcée. L'abdomen étant légèrement contracté, il ne peut pas se dilater, ce qui aide la

poitrine à s'élargir sur l'inspiration. Remplissez lentement les poumons en vous assurant que la zone entre le nombril et l'os pubien reste immobile. Il est utile de garder une main sur l'abdomen pour contrôler son expansion. Expirez ensuite lentement, en gardant la gorge contractée pour produire ce son pareil à au bruit de l'océan. Maintenez le bas-ventre immobile. Ce processus constitue une série.

4 Au début, il est difficile de produire le son *Ujjayi* caractéristique. La pratique améliorera les choses. Souvenez-vous que la partie la plus importante de la respiration *Ujjayi* est le contrôle de l'abdomen et la régularité du flux d'air.

5 Lorsque vous apprenez cette technique, n'effectuez que quelques séries à la fois, en respirant normalement dans l'intervalle les séparant. Augmentez progressivement le nombre de séries jusqu'à quinze à mesure que vous gagnez de l'aisance.

Respiration à contre-courant

Viloma Pranayama Cet exercice développe la respiration consciente et la capacité d'utiliser pleinement ses poumons. Tandis que ceux-ci s'emplissent d'air en trois étapes, visualisez un verre progressivement rempli d'eau : un fond, une moitié, à ras bords. C'est une respiration revitalisante.

Inspirez par étapes

1 Asseyez-vous ou couchez-vous à l'aise. Divisez mentalement les poumons en trois. Inspirez un tiers de votre capacité pulmonaire, et dirigez mentalement l'air vers la partie inférieure des poumons – l'abdomen se soulèvera au fur et à mesure que le bas de la cage thoracique se lèvera. Faites une pause de deux à trois secondes.

2 Inspirez ensuite pour remplir le deuxième tiers des poumons. Ce faisant, dirigez mentalement l'air dans la section centrale de la poitrine (englobant la partie latérale des côtes et le dos). Le sternum commence à monter. Faites une pause de deux secondes – l'air se répandra dans les poumons à chaque pause.

3 Inspirez pour remplir le tiers supérieur des poumons. Laissez le sternum monter haut lorsque vous avez rempli à fond les poumons. Le sommet des poumons étant situé au-dessus de la clavicule, emplissez aussi cet espace. Il est important que vous vous sentiez plein à ras bord, mais d'une façon qui ne génère pas de stress dans votre organisme. Éliminez toute raideur de la zone

de la gorge. La tête ne doit pas donner une impression de tension. Soyez à l'aise et détendu. Une fois que vous êtes dans cet état, faites une pause de deux secondes.

4 Videz vos poumons dans une longue expiration. Prenez quelques souffles pour vous remettre, puis répétez deux fois.

Expirez par étapes

1 Revenez à votre respiration naturelle. Contrôlez votre corps et votre mental et laisser disparaître la tension.

2 Inspirez en un flot long et régulier. Lorsque les poumons sont pleins, faites une pause de quelques secondes.

3 Expirez à partir du tiers inférieur de vos poumons sans contracter les muscles abdominaux. À mesure que l'abdomen descend, consolidez la cage thoracique et gardez-la levée. Faites une pause de quelques secondes.

4 En étant conscient de la section centrale des poumons, laissez sortir un peu d'air pour la deuxième étape, en gardant toujours le sternum levé. L'expiration doit être très régulière. Faites une pause sans inspirer.

5 Expirez à fond. Quand les poumons sont presque vides, arrêtez la montée du sternum. Laissez le reste de l'air sortir doucement des poumons. Quand les poumons se sont vidés, observez une pause de deux à trois secondes, complètement immobile.

6 Quand les poumons exigent de l'air, inspirez longuement pour les remplir à fond. Reposez-les avec quelques respirations normales avant de répéter deux fois de plus. Reposez-vous dans la posture du Cadavre (page 310).

Respiration de soufflet

Bhastrika Cet exercice *pranayama* fait
entrer et sortir en force l'air des poumons,
attisant la flamme du feu gastrique et
brûlant l'*apana* (les déchets accumulés)
du gros intestin.

1 Avant de commencer, mouchez-
vous ou pratiquez l'Irrigation nasale
saline (page 346). Asseyez-vous en toute
position confortable où votre dos est
bien droit. Appuyez un peu sur les os
iliaques pour permettre à la colonne
vertébrale de monter en se
déroulant. La nuque s'allonge.

2 Inspirez brusquement par
les narines, puis
contractez l'abdomen pour
expirer rapidement. Ce
processus constitue une série
complète de la Respiration de soufflet.

3 Le son produit par l'air
passant dans les narines
est audible et pareil au bruit
fait par un pneu de
bicyclette gonflé à
l'aide d'une pompe à
main. Effectuez de dix à
vingt séries d'inspirations
et d'expirations, en
dilatant (inspiration) et
en contractant
(expiration) les muscles
abdominaux rapidement
et rythmiquement.

4 Ceci achevé, prenez une inspiration complète. Utilisez le Verrou de la gorge (page 340) et le Verrou racine (page 340), qui fermeront le *prana* en vous et retenez votre souffle pendant trente secondes. Relâchez ensuite les *bandhas* et expirez. Prenez quelques respirations naturelles, pour vous remettre. Répétez deux autres cycles de dix à vingt respirations. Ensuite, allongez-vous et reposez-vous dans la posture du Cadavre (page 310).

AVERTISSEMENT

Si vous débutez à la respiration de soufflet, soyez prudent. Commencez avec quelques séries et augmentez peu à peu leur nombre au fil des semaines et des mois. Si vous ressentez un vertige, recommencez à respirer régulièrement jusqu'à ce que le souffle revienne à la normale. Arrêtez l'exercice si le nez saigne. Ne pratiquez pas ce *pranayama* en cas de grossesse, de menstruation, de tension dans les oreilles ou les yeux.

5 Une forme plus facile de la respiration de soufflet est le Lustrage du crâne (*Kaphabla bhati*), considéré comme un *kriya* (technique de nettoyage du Hatha yoga). L'expiration est rapide, à l'exemple de la Respiration de soufflet. Les poumons ayant été vidés de force, un vide se crée, qui permet à l'air frais d'être aspiré naturellement dans les poumons. L'inspiration du Lustre du crâne est lente et naturelle. Pratiquez de dix à trente respirations par série et reposez-vous entre elles comme pour la Respiration de soufflet. Avec le temps, tâchez d'atteindre cinquante expirations de ce genre.

Contemplation

Drishtis Alors que le *pranayama* est généralement pratiqué les yeux fermés, dans la plupart des formes du Hatha yoga les *asanas* sont pratiquées les yeux ouverts. Le regard joue un rôle important dans l'exécution correcte de toute *asana*. La technique de focalisation oculaire permet d'apprendre à utiliser correctement le regard.

Contemplations (*drishtis*)

Les *drishtis* se réfèrent aux neuf points ou directions vers lesquelles le pratiquant oriente son regard en exécutant les postures. À chaque posture correspond un *drishti* qui aide à développer la prise de conscience. En concentrant le regard, les *drishtis* tirent le mental dans la direction appropriée à l'*asana* particulière en train d'être effectuée. Ce processus développe la concentration et, en dernière analyse, aide à contrôler le mental.

Une grande partie de l'attention est accaparée par la vue. Étant donné la quantité d'énergie engagée par l'individu dans l'acte visuel, il peut s'avérer intéressant d'expérimenter et d'effectuer certaines *asanas* difficiles les yeux bandés. Sans aucune information visuelle à traiter, les yeux se "détendent", laissant aller l'énergie qu'on peut alors consacrer à la posture. Les yeux bandés, il devient plus facile de maintenir une *asana* pour une période plus longue tant qu'on n'a pas besoin de faire appel à une information visuelle pour garder la posture, comme en cas d'équilibre. Lors de la pratique du yoga, si les yeux se laissent absorber par le spectacle du monde – la personne qui est devant soi, un ongle cassé, ce qui se passe au-delà de la fenêtre – ils signalent la distraction et de manque de concentration intérieure.

Le simple fait de regarder dans une direction particulière mobilise et concentre l'énergie sur l'orientation proposée. Les yeux qui vagabondent détournent le mental de l'union mental-corps-esprit générée durant la pratique du yoga. La focalisation des yeux sur un point unique aide à accroître et à concentrer l'attention. En utilisant un *drishti* particulier, il est possible d'aboutir à la concentration et au calme intérieur tout en gardant les yeux ouverts. De ce point de vue, le *drishti* d'une posture est essentiel pour comprendre l'*asana* même, car sans lui, la posture est incomplète.

Le *drishti* comprend aussi un aspect anatomique. Par exemple, dans la plupart des flexions en avant assises on regarde les orteils. Cela encourage à allonger la partie antérieure du corps beaucoup plus que si on regarde le nombril – qui incitera à arrondir le dos. Le regard doit rester léger, comme détaché de l'objet visé ou comme si vous regardiez *à travers* lui. L'action de regarder ne doit pas être imposée par le mental, car les *drishtis* sont destinés à laisser aller la tension et non pas à la créer. Ceci étant, laissez votre pratique du regard se développer au fil du temps.

INFORMATION

Les neuf *drishtis* sont :

1. Le bout du nez.

2. Les pouces.

3. Le troisième œil.

4. Le nombril.

5. Le ciel, comme si l'on regardait l'infini.

6. Les mains.

7. Les orteils.

8 & 9. Loin par-dessous le côté gauche et le côté droit.

Sceaux – *mudras*

Les sceaux – *mudras* – sont des signes,
des gestes ou des positions symboliques, qui modifient la force vitale
dans le corps. Leur nom vient du mot
sanskrit "sceau". Les *mudras*
permettent de diriger la force
de vie pranique vers les
diverses parties du corps,
pour que ces énergies
puissent être
maîtrisées
intérieurement.

Deux des *drishtis* sont des *mudras*. Fixer le bout du nez (*Agochari Mudra*) et le centre des sourcils (*Shambhavi Mudra*) est tenu pour apaiser le système nerveux et accroître la concentration. Pratiquées d'une façon particulière, les *asanas* comme le Cobra (page 242), la Chandelle (page 286) et la Charrue (page 292) deviennent des *mudras*. Alors que la pratique du Hatha yoga intensifie le *prana*, les bénéfices deviennent considérables quand on apprend à maîtriser cette énergie grâce aux *mudras* et aux *bandhas* (page 336).

Mudras de méditation

Ces gestes de la main s'associent aisément aux postures yoga. On les utilise souvent durant le travail de respiration et la méditation. Certaines *hasta mudras* sont symboliques, représentant une divinité ou un attribut. Elles sont en rapport avec la compréhension du système de *chakras*, la pensée ayurvédique hindoue, les méridiens d'acupuncture chinoise et même l'astrologie. En général, on considère que les *mudras* agissent à travers les zones réflexes grâce auxquelles chaque partie de la main est associée à une partie du corps et une zone du cerveau.

Sceau de la prière (Anjali mudra)

Appelée aussi *Atmanjali mudra*, cette *mudra* est très connue en Inde, où elle sert à saluer, à remercier et à exprimer le respect. Les maîtres mettent souvent fin à un cours de yoga avec l'*Anjali mudra*, qui rappelle par ailleurs aux élèves de revenir à leur centre. En se réancrant, on peut agir à partir d'une base sereine et claire. En gardant cela à l'esprit, l'*Anjali mudra* peut être utilisée pour commencer et finir la séance de méditation. La légère pression des paumes l'une contre l'autre est censée harmoniser les hémisphères cérébraux droit et gauche. En appuyant les pouces contre le sternum, on se souvient de cultiver les qualités du cœur durant la pratique – à utiliser entre chaque étape de la Salutation au Soleil (pages 40 et 42).

Dhyani mudra

Cette *mudra* est utilisée pour la méditation et la contemplation. La main gauche est placée sur le sommet de la droite, le bout des pouces se touchant. Les mains forment un bol symbolique, réceptif à la pensée contemplative.

Bhairava et Bhairavi mudras

Quand la main droite est au-dessus et les pouces reposent l'un sur l'autre, ce bol formé par les deux mains est appelé *Bhairava mudra*. (*Bhairava* est un avatar du dieu Shiva.) Quand la main gauche est au-dessus, pouces tournés vers le bas, c'est la *Bhairavi mudra*, nommée d'après Shakti, l'épouse de Shiva.

Sanmukhi mudra – fermeture des six portes

Cette *mudra* permet à vos organes sensoriels de se reposer dans un profond silence à mesure que vous éloignez les distractions extérieures et tournez votre regard vers l'intérieur. En tant que "sceau de la source intérieure", il est aussi appelé *Yoni mudra*. Asseyez-vous en position de méditation. Rabattez le pavillon des oreilles avec les pouces pour bloquer le son. Couvrez-vous les yeux des index, les médius touchant le bord des narines. Placez les annulaires et les auriculaires en dessus et en dessous de vos lèvres pour recouvrir symboliquement la bouche. Gardez les coudes levés, respirez régulièrement dans la *Sanmukhi mudra* et savourez ce profond silence. Quand vous vous sentez fatigué, abaissez les bras. Restez dans une immobilité silencieuse pour la méditation. Pressez légèrement les narines tout en laissant assez d'espace au passage d'un courant régulier d'air.

Prayanana mudras – sceaux des mains pour les pratiques de respiration

Mudra du menton

Recourbez le bout du pouce et de l'index pour qu'ils se touchent ou placez le bout de l'index sur la deuxième phalange du pouce. Les trois autres doigts restent droits. En fonction de la position exacte de l'index et de l'orientation de la paume, vers le haut ou vers le bas, on l'appelle *Asaka mudra*, *Jnana mudra* ou *Gyana mudra*, Geste de sagesse. Ici, le pouce symbolise la force divine, l'index, la conscience humaine. L'utilisateur de cette *mudra* démontre son intention d'unir son individualité avec la conscience cosmique. Cette *mudra* modifie la respiration en favorisant celle abdominale. La paume vers le haut – Mudra du menton ; la paume vers le bas – *Jnana mudra*. Le bouddhisme appelle cette *mudra* le Sceau de la discussion (*Vitarka mudra*).

Chinmaya mudra

Quand l'index et le pouce se touchent, recourbez les trois autres doigts pour que leur bout touche la paume. Cette *mudra*, appelée le Sceau de la conscience manifeste, favorise la respiration intercostale grâce à l'expansion latérale de la cage thoracique et du milieu du torse.

Adhi mudra

Serrez le poing en y enfermant le pouce. Cette respiration favorise la respiration claviculaire grâce à la dilatation de la partie supérieure des poumons. En restant tranquillement assis et en observant attentivement leur respiration, beaucoup perçoivent facilement la différence entre l'absence de *mudras* et ces "*mudras* respiratoires" (Mudra du menton, *Chinmaya mudra* et *Adhi mudra*).

Brahma mudra

Serrez les poings, en y enfermant les pouces, et rapprochez-les au niveau des jointures. Reposez les mains, paumes vers le haut, juste sous le sternum, pour qu'elles soient au même niveau que le diaphragme. Les auriculaires touchent l'abdomen. Lorsque les jointures se touchent, tous les méridiens énergétiques des mains sont activés. Cette *mudra* favorise la respiration profonde et complète. Lorsque vous l'utilisez, observez chaque inspiration totale, qui commence à l'abdomen, monte pour dilater la cage thoracique et finit par remplir complètement le sommet des poumons, juste sous la clavicule. En expirant, devenez conscient de la légère force contractante exercée par l'air sortant par les narines.

Verrous internes d'énergie – *bandhas*

Les diverses techniques du Hatha yoga ont de puissants effets sur la production et la circulation de l'énergie pranique dans le corps. Les *bandhas* permettent de contrôler et de diriger cette énergie. Le terme *bandha*, signifiant "fermer" ou "restreindre", décrit très bien leur action : ils verrouillent ou restreignent le *prana*. Ils sont essentiels pour la pratique avancée du Hatha yoga. Sans eux, l'énergie produite par la pratique ne sera pas utilisée correctement.

Tous les *bandhas* impliquent des contractions musculaires, mais ce n'est là qu'un seul de leurs aspects. Les textes anciens mentionnent les *bandhas* parmi les plus importantes techniques du Hatha yoga. Pratiqués en association avec le *pranayama* ou seuls, les *bandhas* agissent sur les organes, le système nerveux et le système endocrinien, atténuent les troubles reproductifs, urinaires et sexuels, les problèmes de dos et favorisent le rétablissement après un accouchement.

Verrou abdominal

Uddyana Bandha *Uddyana* signifie "s'élever vers le ciel". Le *Hatha Yoga Pradipika* raconte que le grand oiseau Prana prend son envol grâce à l'utilisation de ce *bandha*. À la différence du Verrou racine, celui-ci canalise l'énergie dans le méridien énergétique central (le *Shushumna nadi*).

Le Verrou abdominal est en principe une traction interne des muscles abdominaux en dessus et en dessous du nombril. Pratiqué seul, il est effectué après une expiration complète qui vide totalement les poumons. Il rentre l'abdomen ou le relève.

Une variante plus simple du Verrou abdominal peut être utilisée au début de l'expiration dans la pratique du *pranayama*. Dans la pratique des *asanas*, la contraction des muscles abdominaux stabilise le centre du corps et protège la colonne vertébrale. Pendant pratique des *asanas*, commencez à cultiver votre Verrou abdominal en contrôlant la zone du bas-ventre. Au lieu de la laisser remonter sur l'inspiration, concentrez-vous à la maintenir entre le pubis et le nombril rentré.

Pratiqué seul, le Verrou abdominal tonifie les organes abdominaux et accroît les capacités digestives. C'est le premier pas vers l'apprentissage du Brassage abdominal (*Nauli*, page 348).

1 Pour le Verrou abdominal complet, tenez-vous debout, pieds écartés de la largeur des hanches. Pliez les genoux légèrement et penchez-vous en avant.

Placez les mains fermement sur les cuisses et arrondissez la colonne vertébrale en rentrant le coccyx.

2 Expirez à fond. Retenez votre souffle. Rentrez le menton (c'est le Verrou de la gorge, page 340) pour protéger la tête d'une pression excessive.

3 Appuyez les mains contre les cuisses. Remontez le diaphragme pour que votre zone abdominale soit tirée vers la colonne vertébrale et vers le haut. Au début, il est difficile d'isoler uniquement le

AVERTISSEMENT

Le Verrou abdominal doit être pratiqué estomac vide, tôt le matin. Évitez de retenir trop longtemps votre souffle, sinon vous serez tendu et haletant. Le Verrou abdominal complet ne doit pas être pratiqué en cas de menstruation ou de grossesse.

diaphragme. Avec de la pratique, vous arriverez à faire la différence et à garder la paroi abdominale relativement relaxée en la rentrant et en la remontant dans la cage thoracique. (Le personnage de cette photo active aussi le Verrou racine, page 340, qui fait jouer les muscles grands obliques, créant ainsi deux lignes visibles saillant de l'abdomen.) Même en retenant votre respiration, laissez la cage thoracique se dilater, comme si vous inspiriez. Maintenez quelques secondes.

4 Avant de vous mettre à haleter, relâchez l'abdomen, puis inspirez lentement. Redressez-vous et prenez quelques respirations pour vous rétablir. Répétez trois autres fois.

1. Verrou racine

Mula Bandha

Le Verrou racine est une contraction des muscles du périnée, situés entre l'anus et les organes génitaux. Le *Hatha Yoga Pradipika* en parle ainsi : "appuyez le talon contre le scrotum, contractez l'anus." Le Verrou racine contrôle l'*apana*, l'énergie descendante qui demeure dans le bas-ventre et empêche le *prana* de s'échapper. Il est utilisé durant la pratique des *asanas* de l'Ashtanga Vinyasa (page 385), où il aide à attiser la chaleur interne. La pratique du Verrou racine équilibre les systèmes sympathique et parasympathique, améliore la santé du système de reproduction et intensifie les pouvoirs de rétention de l'éjaculation chez l'homme. Le Verrou racine est aussi censé avoir un effet puissant sur le corps psychique en déclenchant l'éveil de l'énergie *Kundalinî*.

Technique

Pour effectuer le Verrou racine, le plancher pelvien situé entre l'anus et les organes génitaux doit être contracté, rentré et remonté. Au début, il est difficile de faire la différence entre le sphincter anal, les muscles du périnée et les muscles de la cavité pelvienne. Généralement, on perçoit la contraction de tous les muscles, mais avec de la pratique vous apprendrez à isoler les muscles du périnée et à les faire monter. Le processus est plus facile sur l'expiration. Pratiquez d'abord en position assise, puis incorporez le Verrou racine aux flexions en avant et aux positions debout. Avec le temps, vous arriverez à utiliser ce Verrou dans toutes les positions du yoga.

2. Verrou de la gorge

Jalandhara Bandha

Le Verrou de la gorge (à droite) est le troisième *bandha* important, qui régit le courant de *prana* dans cette zone. Il est dit dans le *Hatha Yoga Pradipika* que "le Verrou de la gorge dissipe la vieillesse et la mort et arrête le flux de nectar tombant dans le feu de la vie". Ce texte affirme aussi que ce Verrou doit être utilisé à la fin d'une inspiration (*rechaka*). Le Verrou de la gorge est essentiel pour la pratique de tout *pranayama* où le souffle est retenu (*kumbaka*). En régularisant le flux du *prana* vers la tête, il prévient les migraines, le vertige et certaines affections des yeux, de la gorge et des oreilles.

Technique

Le Verrou de la gorge est réalisé en
rentrant le menton dans le sillon situé
entre les clavicules, allongeant ainsi la
nuque. Cela change la forme de la gorge et
ralentit la respiration. Notez que le cou

doit se pencher naturellement, sans
tension ou emploi de la force.

3. Le Grand verrou
Maha Bandha

Le Grand verrou (à gauche) est une
combinaison des trois premiers *bandhas*.
Il peut être utilisé pendant le *pranayama*
et comme préparation pour la méditation.

Technique

Pratiquez quelques séries de respirations
profondes, telle que la Respiration
glottique (page 332). Expirez ensuite à
fond. Activez le Verrou racine (page 340),
le Verrou abdominal (page 338) et le
Verrou de la gorge (page 340). Après
quelques secondes, relâchez les *bandhas*,
levez le menton et inspirez profondément.
Effectuez quelques séries de plus.

Pratiques de nettoyage yogique – *kriyas*

Le Hatha yoga comprend un nombre de pratiques appelées *kriyas*, destinées à nettoyer le corps et à équilibrer les trois humeurs corporelles (*doshas*) qui assurent la santé. Les deux ouvrages classiques traitant du Hatha yoga, le *Hatha Yoga Pradipika* et le *Gheranda Samhita*, mentionnent six *kriyas*. Quatre d'entre eux sont décrits ici : le Lustrage du crâne (page 327), la Contemplation de la bougie (page 344), l'Irrigation nasale saline (page 346), le Brassage abdominal (page 348). On peut les apprendre sans professeur en toute sécurité. Les deux pratiques restantes exigent un apprentissage personnalisé : *dhauti*, la pratique de nettoyage de l'estomac avec de l'eau ou une mince bande de tissu, et *vasti* (ou *basti*), la pratique de nettoyage du gros intestin, soit avec de l'eau, soit avec l'air.

Contemplation de la bougie

Trataka Selon le *Hatha Yoga Pradipika*, la Contemplation de la bougie "soigne les affections oculaires et écarte la fatigue". Cet exercice recentre aussi le mental, améliore la concentration et est très apaisant. En tant que tel, il constitue une très bonne préparation à la méditation. Si possible, pratiquez dans une pièce sombre.

1 Allumez une bougie ou une lampe à huile et placez-la sur une table basse, pour qu'elle soit au même niveau que les yeux. Asseyez-vous sur le plancher en une posture de méditation confortable, en laissant environ un mètre entre le visage et la flamme. Gardez le dos bien droit et les épaules détendues.

INFORMATION

En Inde, la Contemplation de la bougie est traditionnellement pratiquée en utilisant la flamme d'une petite lampe à huile, plus stable que celle d'une bougie. Cet exercice peut aussi être pratiqué en utilisant pour point focal d'autres objets, tel qu'un symbole spirituel, un dessin ou un objet qui compte pour vous (évitez les miroirs). Une fois que vous avez choisi un objet, n'en changez pas et utilisez-le pour développer votre pratique.

EFFET. Purifiant pour les yeux.

2 Décidez d'avance de la durée de la Contemplation de la flamme. Au commencement, trente, quarante-cinq ou soixante secondes font une durée réaliste. Sans regarder la montre, essayez de vous y tenir. Cet exercice développera ainsi votre sérénité et votre ressort intérieur. Au début, il est difficile de regarder la flamme pendant plus de quelques instants sans cligner des yeux. Avec de la pratique, le processus devient plus facile. Au fil des semaines, passez progressivement d'une à trois minutes.

3 Regardez la flamme sans ciller ou déplacer les yeux. Concentrez entièrement votre attention sur elle. Il se peut que les yeux larmoient ou que votre vision soit quelque peu troublée. C'est normal. Gardez votre calme et résistez à l'envie de cligner des yeux. À la fin de l'exercice, fermez doucement les yeux.

4 Une image résiduelle de la flamme apparaît derrière vos paupières fermées. Observez-la dans votre imagination, comme un point focal pour votre état d'esprit méditatif. Quand elle disparaît, commencez la contemplation suivante.

5 À la fin de la troisième série, frottez-vous les mains vigoureusement, en laissant la friction générer beaucoup de chaleur, puis couvrez-vous les yeux avec les paumes en coupe et laissez-les se relaxer dans l'obscurité. Cette pratique est appelée *palmage*.

Irrigation nasale saline

Jala Neti Selon le *Hatha Yoga Pradipika*, *Neti* "purifie le crâne, aiguise le regard et élimine les maladies se trouvant au-dessus des épaules". Cette irrigation élimine aussi le mucus et la poussière accumulés dans les passages nasaux. Cet exercice vaut la peine d'être pratiqué tous les jours, si vous vivez dans un environnement poussiéreux ou pollué.

L'Irrigation nasale saline est effectuée en versant de l'eau dans une narine et en la laissant s'évacuer par l'autre. Il suffit d'un vase *neti*, à acheter dans un magasin de produits bio ou un magasin spécialisé dans le yoga. Ce vase est pourvu d'un bec spécialement conçu, qui s'adapte étroitement à la narine, permettant d'y verser de l'eau sans éclabousser. Si vous ne trouvez pas de vase *neti*, utilisez un récipient en plastique muni d'un bec verseur.

1 Remplissez le vase *neti* d'eau chaude, salée. Penchez-vous au-dessus du lavabo et inclinez bien la tête sur le côté. Relaxez-vous, respirez par la bouche et versez doucement l'eau salée par la narine la plus haute. C'est plus facile qu'on pourrait le penser, car le processus est totalement passif, la gravité se chargeant du reste. L'eau coulera autour de la cloison nasale et sortira par l'autre narine. N'inspirez pas par le nez, mais par la bouche. Lorsque le vase est vide, soufflez votre nez. Remplissez de nouveau le vase, penchez la tête sur le côté opposé et répétez pour l'autre narine.

2 Il est important de sécher soigneusement les passages nasaux après les avoir lavés. Penchez-vous en avant, fermez la narine gauche avec les doigts de la main droite et soufflez votre nez avec quelques vigoureuses expirations, comme pour le Lustrage du crâne (page 327). Répétez pour l'autre narine, en la bloquant avec le pouce, puis soufflez par les deux narines en même temps.

INFORMATION

Versez la quantité appropriée de sel dans l'eau, pour que la pression osmotique de l'eau soit la même que celle des fluides corporels. Utilisez entre une et deux cuillerées à café de sel pour un litre d'eau. L'excès ou l'insuffisance de sel est désagréable et risque de provoquer un larmoiement ou des hémorragies nasales. L'eau doit être à peu près à la température du corps ou légèrement plus froide.

EFFET. Nettoyant.

Brassage abdominal

Nauli Selon le *Hatha Yoga Pradipika*, le Brassage abdominal "attise le feu gastrique, améliore la digestion et élimine les maladies". Utilisez-le pour commencer votre pratique yoga du matin. Le *kriya* fortifie les muscles abdominaux et masse les organes qu'ils abritent. Ne sous-estimez pas ses bienfaits.

Ce *kriya* fortifie et masse les muscles abdominaux. Ses bénéfices sur la santé abdominale sont importants. Il faut maîtriser le Verrou abdominal (page 338) avant de tenter le Brassage abdominal.

1 À partir du Verrou abdominal, rentrez l'abdomen et le menton. Appuyez les mains contre les cuisses et faites ressortir les muscles grands droits antérieurs de l'abdomen (les deux muscles centraux de l'abdomen qui connectent l'os pubien au sternum). Relaxez-les, puis détendez l'abdomen. Inspirez doucement et redressez-vous pour vous détendre. C'est la première étape, qu'il faut maîtriser avant de passer à la seconde. Beaucoup de pratique est nécessaire pour isoler les muscles corrects. Persévérez.

2 Pour la seconde étape, appuyez seulement la main droite, en faisant ressortir uniquement le muscle grand droit antérieur de l'abdomen de droite. Faites osciller légèrement vos hanches vers la gauche. Appuyez ensuite la main gauche, en faisant ressortir uniquement le muscle grand droit antérieur de l'abdomen situé à gauche. Avec le temps, vous apprendrez peu à peu à

②

AVERTISSEMENT

Le Brassage abdominal doit être pratiqué uniquement l'estomac vide, de préférence le matin, avant le petit-déjeuner. Évitez de retenir la respiration pendant trop longtemps, car cela provoquera tension et halètements. L'inspiration doit être lente, régulière et naturelle. Comme le Verrou abdominal complet, le Brassage abdominal ne doit jamais être pratiqué en cas de menstruation ou de grossesse. Les personnes souffrant d'un état inflammatoire de l'abdomen ou d'autres problèmes abdominaux doivent consulter un maître expérimenté.

EFFET. Nettoyant.

faire ressortir ces muscles à gauche, ensemble, à droite, ensemble et ainsi de suite. Cela engendrera un mouvement de la paroi abdominale pareil à une vague qui massera les organes internes (cet exercice est parfois appelé "le lave-linge yogique"). Pratiquez de trois à cinq séries, puis redressez-vous pour vous reposer en prenant autant de souffles que nécessaire pour vous rétablir. Relaxez-vous ensuite.

Yoga avec une visée particulière

Introduction

Le yoga n'est pas un système unidimensionnel. Le maître traditionnel donnera à chacun de ses élèves une instruction personnalisée. Il s'occupera de l'individu en tant qu'être global. Tout état ou besoin particulier sera traité, qu'il s'agisse d'un esprit agité, d'une affection de longue durée ou simplement de la volonté de se porter bien.

Avec de la pratique, on développe une intuition pour chaque posture. On apprécie la saveur de chaque exercice et on devient capable de modifier la combinaison d'éléments du yoga pour l'adapter aux objectifs qu'on s'est fixé.

Le yoga, dont les racines plongent dans la pensée orientale, considère que chaque individu est bien plus qu'un esprit demeurant dans un corps. Il prône l'existence de cinq dimensions ou enveloppes, les *koshas*. Depuis la plus rudimentaire à la plus subtile, ces dimensions sont : le corps physique, le corps pranique, le corps mental et émotionnel, la sagesse. La cinquième est la félicité spirituelle à partir de laquelle on accède à un sens d'identité, de transcendance. La pensée orientale considère qu'une dimension n'est jamais indépendante d'une autre. Tout déséquilibre se manifestera sur le même plan ou sur un plan différent. Ce concept de l'individu en tant qu'être multidimensionnel est de plus en plus accepté en Occident. Le yoga constitue une magnifique thérapie holistique et un excellent rééquilibrant. En essayant d'harmoniser les éléments constitutifs de l'individu, le yoga prend efficacement en compte toutes les bases du paradigme corps-mental-esprit.

Une combinaison des pratiques yogiques cible chacune des enveloppes. Sur le plan physique, on pratique les *asanas* et les *kriyas* yogiques et on respecte un bon régime alimentaire. Le *pranayama* et les *kriyas* travaillent sur le plan de la force vitale. Les *koshas* mental, émotionnel et de sagesse tirent profit de la pratique du discernement, de l'analyse, de l'apprentissage, de l'expérience, de la méditation et des aspects pieux du yoga, tels que la psalmodie et la pensée consacrée à la divinité. Il faut entretenir l'enveloppe de félicité par des pratiques de relaxation et de méditation.

La pratique du yoga est constituée d'une combinaison d'ingrédients modifiables en fonction de l'objectif de la séance. Parfois, on doit s'adapter à des états particuliers.

Yoga anti-stress

Quand vous êtes-vous plaint pour la dernière fois de votre stress ? Les uns, il y a quelques heures, les autres, il y a quelques jours ou quelques semaines. La vie moderne confronte l'individu à une cascade de facteurs potentiels de stress. Échapper de justesse aux roues d'une voiture en traversant une rue très circulée ou simplement regarder la dernière tragédie en date au journal télévisé impose un surcroît de travail aux glandes surrénales. Le corps a du mal à vivre dans un brouillard d'adrénaline. C'est désagréable pour la psyché et difficile pour le moi émotionnel. Le yoga aide à retrouver un état de relaxation.

Les *asanas* deviennent un canal permettant d'éliminer physiquement le stress mental. La concentration consciente sur le corps durant la pratique de toute *asana* offre une pause mentale bienvenue pour éloigner les anxiétés – c'est en partie la raison du sentiment de légèreté éprouvé après une séance de yoga. La séquence d'*asanas* suivante atténue la fatigue physique et la fatigue mentale. Ces postures ouvrent le corps tout en offrant au système nerveux une chance de se reposer. Elles permettent de se recharger sans utiliser de l'énergie. En s'opposant au stress, ces postures favorisent la constitution de réserves d'énergie en cas de maladie chronique ou, chez les femmes, en vue de la menstruation, de même qu'à chaque fois qu'un besoin de régénération se fait sentir. Outre les postures présentées dans cette section (page 356), d'autres *asanas* fortifiantes peuvent être intégrées dans une séquence.

Respiration égale, page 316.

La Posture de l'angle tenu renversé, page 136.

Voici un exemple de séquence : centrage par la Respiration égale (page 316), Posture de l'angle tenu renversé (page 136), le Héros couché (page 272), l'Enfant (page 100) ou le Fœtus (page 103) ou Flexion longue reposante (page 313), le Crocodile (page 246), Torsion sur un traversin (page 356), la Charrue soutenue (page 292) ou la Chandelle pour débutants (page 280), l'Abdomen pivotant (page 190), les Flexions en avant reposantes (voir page 357) et autres variantes de flexion soutenue (énumérées aussi en page 357), suivies par un long moment dans la posture du Cadavre (page 310) en vue de neutraliser les tensions mentale et physique, et la Respiration en alternance par les narines (page 320) ou le Bourdonnement de l'abeille (page 318) pour apaiser le système nerveux.

La Charrue, page 292.

L'enfant soutenu Salamba Balasana

Asseyez-vous sur les talons, gros orteils rapprochés et genoux largement écartés. L'aine est soutenue par un traversin ou une pile de couvertures pliées. Ce support doit être assez haut pour que le torse soit parallèle au plancher et assez

long pour y faire reposer aussi la tête. Les bras sont sur les côtés, coudes pliés à hauteur des épaules. La tête est tournée pour reposer sur une joue. Accordez-vous au massage stimulant relaxant que reçoit le ventre lorsqu'il prend appui sur le traversin à chaque inspiration. Restez ainsi d'une à cinq minutes, en laissant s'en aller toute la tension.

Flexion en arrière sur des traversins croisés Salamba Urdva

Mukha Salabhasana Asseyez-vous sur deux traversins posés en croix (ou l'équivalent en couvertures). Les genoux fléchis et les pieds sur le plancher, allongez-vous le long du traversin, en posant les épaules et la tête sur le sol. Étirez les jambes aussi loin que c'est confortable. Si nécessaire, une ceinture souple autour des cuisses tiendra celles-ci en place.

Placez les fémurs au point le plus élevé de l'arc ainsi formé et restez dans cette posture de deux à huit minutes.

Torsion sur un traversin Salamba Jathara Parivartanasana

Agenouillez-vous la hanche droite proche du traversin, pieds vers la gauche. Placez les mains de chaque côté du traversin et faites pivoter le torse pour que le sternum soit parallèle à celui-ci. Couchez-y le torse et poser les avant-bras sur le plancher. Tournez la tête du côté opposé aux jambes. Pour accentuer la torsion, éloignez la jambe supérieure des hanches en la faisant glisser sur le plancher. Restez ainsi d'une à six minutes, puis répétez de l'autre côté.

Flexions en avant reposantes

Plusieurs autres flexions en avant peuvent être pratiquées pareillement : Flexion la jambe pliée (page 122), la Tête au genou (page 114), le Cordonnier (page 134), la Posture de l'angle assis (page 130), la Séquence d'étirements assis sur le côté (page 132). Pour cette flexion en avant (*Salamba Paschimottanasana*, illustré ci-dessous), asseyez-vous les jambes rapprochées. Placez dessus un traversin ou une couverture pliée, assez hauts pour que la poitrine penchée et la joue soient bien soutenues. Trouvez une position confortable pour les bras. Si l'étirement est excessif, utilisez des coussins pour élever votre front. Après un certain temps passé dans cette position, le corps se détendra et vous pourrez glisser le traversin vers les pieds pour accentuer l'étirement. Maintenez pendant une à deux minutes.

Yoga pour la guérison

Notre monde intérieur est en constante interaction avec le monde extérieur ; nous vivons dans un état de fluctuation. Comme nous sommes des êtres en permanente évolution, ce qui convient le mieux à un individu change d'un jour à l'autre. Tenez chaque pratique suggérée pour un remède potentiel, mais pas obligatoire. L'à-propos d'une posture dépend d'une diversité de facteurs. Consultez un thérapeute ou un maître expérimenté de yoga.

Usages spéciaux du yoga

Autres postures conseillées

Anxiété. La respiration consciente débarrasse les pensées des soucis et permet d'acquérir le sentiment du moment présent. Revenez à cette respiration tout au long de la journée. La pratique des *asanas* permet d'éliminer le stress de l'organisme et de garder la tête claire. Ne fermez pas les yeux : pratiquez avec une totale conscience du corps et utilisez la Respiration glottique (page 332). Ensuite, détendez-vous longuement dans la position du Cadavre (page 310). Pratiquez tous les jours le *pranayama* et la méditation.

La Chandelle (page 286), la Charrue (page 292), la Respiration égale en comptant les respirations de 4 à 10 (page 316), le Bourdonnement de l'abeille (page 318), la Respiration alternée par les narines (page 320).

Arthrite. À court terme, le yoga peut provoquer des épisodes douloureux car il exige davantage de mobilité articulaire. Une petite gêne à courte échéance est brièvement acceptable : elle signale que les articulations s'assouplissent. L'important est de ne pas laisser se multiplier les épisodes douloureux et de garder à l'esprit que le seuil de résistance change d'un jour à l'autre. Pratiquez en premier lieu les mouvements d'assouplissement des articulations. S'il vous est difficile de rester dans une position donnée, ne la maintenez pas longtemps. Développez la mobilité des articulations en prenant et en quittant la position avec grâce et fluidité. Utilisez des supports.

Exercices d'assouplissement.

Asthme. Beaucoup de gens ont utilisé le yoga pour soigner leur asthme. Les fléchissements en arrière font monter la poitrine et l'ouvrent, favorisant une respiration plus profonde. Faites particulièrement attention à ne pas

Le Chat (page 32), le Cobra (page 242), la Respiration égale (avec l'expiration plus longue que l'inspiration, page 316), le Bourdonnement de l'abeille (page 318), méditation.

Usages spéciaux du yoga

affaisser la poitrine en pratiquant les flexions en avant. Accompagnez les mouvements de la Respiration glottique (page 332). Les pratiques du *pranayama* réorganisent la respiration et aident à allonger l'expiration.

Cancer. Choisissez une pratique yoga qui vous est profitable, qui vous conduira naturellement aux choix de vie entretenant un *corps-esprit* sain. Choisissez une série équilibrée d'*asanas* accordant une grande place à la relaxation, au *pranayama* et à la méditation, ce qui permet de gérer la détresse physique et mentale.

La Chandelle (page 286), la Charrue (page 292), le yoga fortifiant. (Voir *Yoga anti-stress*, page 354.)

Confiance en soi. Se pencher en arrière fait monter le centre du cœur et allège l'introversion. Les postures debout et en équilibre confèrent la confiance nécessaire pour tenir bon. La méditation permet de se connaître soi-même. Une pratique régulière et disciplinée contribue déjà à la confiance en soi.

Le Guerrier 1 (page 60).

Congestion des jambes (due soit à la position debout, soit à la position assise). Le corps est conçu pour bouger. Le mouvement péristaltique des muscles entourant les conduits lymphatiques stimule ce système qui élimine l'excès de fluide des tissus. La salutation au Soleil B (page 42) met le corps en mouvement. Les inversions aident à diminuer la congestion provoquée dans les jambes par les longues heures passées en position assise. (Voir aussi *Veines variqueuses*, page 365.)

Les postures inversées comme la Chandelle (page 286) et la Chandelle du débutant (page 280).

Constipation. Stimulez le mouvement péristaltique grâce à la séquence de Salutation du Soleil (page 40). Les flexions en avant et les torsions, où l'abdomen est comprimé par une autre partie du corps, massent les organes digestifs et favorisent l'élimination. Les postures inversées aident aussi à mettre les choses en mouvement. Réhydratez-vous avant et après la pratique du yoga. Pratiquez chaque matin le Lustrage du crâne (page 325) et le Brassage abdominal (page 348).

Étirement inversé sur le côté (page 82), la Tête au genou en pivotant (page 116), la Demi-torsion spinale assis (page 182), le Sage tenu (page 198), Torsion du Sage (page 184), Torsion maintenue du Sage (page 200), l'Arc (page 252), la Chandelle (page 286) et ses variantes.

Crampes menstruelles, yoga durant la menstruation. Il est généralement conseillé de ne pas pratiquer de fortes torsions et flexions en arrière durant la menstruation. Les postures inversées risquent d'amenuiser le flux sanguin – elles sont à éviter. Les flexions en avant sont

Usages spéciaux du yoga

conseillées. Les femmes préfèrent souvent une pratique en douceur durant cette période – essayez quelques postures reconstituantes. (Voir *Yoga anti-stress*, page 354.)

Dépression. Pour garder le sentiment du moment présent, gardez les yeux ouverts pendant la pratique des *asanas*. Impliquez toutes les parties du corps dans chaque posture et soyez attentif à l'animation du *corps-esprit*. Évitez de maintenir pendant longtemps les flexions en avant rendant introspectif. Pratiquez beaucoup de flexions en arrière. Pratiquez tous les jours, même brièvement. Il y a de nombreuses façons de méditer. Assurez-vous que celle choisie vous convient réellement et ne fait pas empirer les choses.

Diabète. Les torsions et les fléchissements en arrière tonifient le pancréas. Les *asanas* soutiennent en général le système nerveux, accroissent la circulation et améliorent la vitalité globale.

Le Sage tenu (page 198), Torsion du Sage (page 184), Torsion maintenue du Sage (page 200), l'Abdomen pivotant (page 190), l'Arc (page 252), le Pont soutenu (page 260).

Douleur du cou. Obtenez d'abord un diagnostic médical. Si la cause est musculaire, utilisez l'Assouplissement du cou. Lors des torsions, regardez d'abord par-dessus l'épaule en arrière, puis tournez la tête pour regarder par-dessus l'épaule avancée. Dans les deux positions, faites monter une oreille pour étirer cette partie-là du cou et trouvez la position convenant à votre cou pour quitter la posture. Quand vous vous penchez en arrière, maintenez la nuque allongée et le menton rentré – comme un Verrou de la gorge (page 340) effectué en douceur durant les postures. Quand le risque de s'effondrer n'existe pas, pratiquez les yeux fermés et accordez toute votre attention au cou – assurez-vous de ne pas l'étirer excessivement par mégarde. Ne voûtez pas les épaules dans les postures debout, ne les arrondissez pas lors des flexions en avant. Approchez avec prudence la Chandelle (page 286), la Charrue (page 292) et le Poirier (page 296). Si le menton saillit, utilisez un oreiller dans la position du Cadavre (page 310). Durant la pratique, passez mentalement en revue les muscles du cou. Rappelez-vous de ne pas voûter les épaules et vérifiez que celles-ci et le cou sont à l'aise.

Fatigue oculaire. Le travail sur ordinateur exige une concentration sur un point situé à égale distance des yeux. Regardez au-delà de l'écran à des intervalles réguliers.

Usages spéciaux du yoga

Servez-vous du point de contemplation précisé pour chaque posture (voir *Drishtis*, page 328). Positionnez votre regard dans chaque posture – tournez-le aussi loin à droite que possible en faisant pivoter le torse vers la droite et levez-le aussi haut que vous le pouvez en regardant l'infini lors des flexions en arrière. La Contemplation de la bougie (page 344) purifie le regard. Certains livres traitant de l'amélioration de la vision naturelle comprennent des exercices de yoga pour les yeux.

Fatigue mentale et physique. Une pratique globale en douceur, faisant travailler chaque partie du corps, convient. Commencez par les exercices d'assouplissement. Pour revigorer un mental fatigué, la Salutation au Soleil (page 40) met le corps en mouvement et favorise un rythme respiratoire régulier profitable à l'oxygénation générale. Les flexions en arrière et les inversions clarifient le mental. Plus vous vous impliquez mentalement dans ce que vous faites, mieux c'est. La position du Cadavre (page 310) maintenue pendant vingt minutes repose mieux dans la journée qu'une sieste – couvrez-vous d'un châle et allongez-vous sur le plancher pour éviter de vous endormir. Reposez-vous et gommez la fatigue physique grâce aux flexions en avant assises (essayez de placer la poitrine sur un traversin) et à la posture du Cadavre. Rechargez-vous en énergie avec le *pranayama*. Si votre fatigue se manifeste brusquement ou si vous ne lui trouvez pas de cause, consultez un médecin.

Fièvre. Quand vous avez de la fièvre, il vaut mieux éviter les *asanas*. Les exercices *pranayama* de ce livre risquent d'élever la chaleur du corps – évitez-les. Pratiquez la relaxation et la méditation jusqu'à la guérison, puis reprenez la pratique des *asanas*, en commençant par celles reposantes (voir *Yoga anti-stress*, page 354).

Grossesse. Les femmes enceintes semblent comprendre intuitivement l'essence du yoga. Beaucoup trouvent qu'il aide durant la grossesse et l'accouchement. Le yoga est à éviter pendant le premier trimestre. Les modifications des postures sont nombreuses – pour profiter pleinement des bénéfices du yoga durant cette période particulière, trouvez un cours de yoga prénatal. Voilà quelques conseils : un sentiment de "circulation" doit accompagner le yoga, ne maintenez pas les

La Posture de l'angle assis (page 130), le Cordonnier (page 134), le Cadavre (page 310), *pranayamas* calmantes, méditation.
À éviter : Ne commencez pas le yoga au cours des 12 premières semaines de grossesse. Ne pratiquez pas le Lustrage du crâne (page 325), le Brassage abdominal (page 348) ou le Verrou abdominal complet (page 338). Les inversions

Usages spéciaux du yoga

postures durant trop longtemps mais assumez-les et quittez-les plusieurs fois, inspirez vers le haut et expirez vers le bas. Si vous respirez et bougez en même temps vous développerez une conscience du souffle qui s'avère utile lors de l'accouchement. Dans chaque posture, laissez de l'espace au ventre épanoui. Écartez largement les jambes pour de nombreuses postures qui normalement ressemblent à la Flexion debout (page 68), le Chien museau vers le sol (page 162) et aux flexions en avant assises. Effectuez tous les types de flexions en avant, mais prenez garde de ne pas les étirer excessivement les ligaments, qui deviennent plus souples pendant la grossesse. Pour les torsions, au lieu de pivoter le torse vers un espace fermé (la cuisse d'une jambe pliée), faites-le pivoter de l'autre côté, le ventre dirigé vers un grand espace ouvert. Passé un certain point, au lieu de vous coucher sur le ventre pour les flexions vers l'arrière pratiquez la posture du Pont soutenu (page 260). Pour la relaxation, couchez-vous sur le côté en plaçant des coussins entre les jambes.

Hernie discale. Le yoga peut traiter efficacement les hernies discales et les lésions des disques intervertébraux, qui guériront avec du temps et des soins. Il faut éviter d'abord les flexions en avant, car la zone affectée du dos doit rester concave. Soutenez-la en utilisant les exercices de redressement abdominal, tels que les Jambes tendues (page 176). Pratiquez en outre les flexions vers l'arrière sans dépasser vos limites. Introduisez progressivement les torsions contrôlées. La souplesse des muscles longs de la partie postérieure des cuisses doit être développée. Quand le moment d'introduire des flexions en avant est venu, commencez par la séquence Mains aux orteils en pivotant (page 164), qui garde le dos relativement stable. Laissez passer 24 heures pour ressentir la réaction du corps avant d'intensifier votre pratique. L'exercice du *pranayama* et de la méditation aide à apaiser un mental perturbé par la douleur chronique.

Hypertension. L'exercice dilate les vaisseaux sanguins, ce qui a pour effet l'abaissement de la tension artérielle. Toutefois, ci celle-ci est très élevée, mieux vaut garder la tête droite. Dans les positions où elle ne l'est pas, utilisez le Verrou de la gorge (page 340). Pratiquez la relaxation, le *pranayama* et la méditation. Ne retenez le souffle en aucune posture – travaillez avec la Respiration glottique

doivent être effectuées sans prendre le risque de tomber. Travaillez avec un maître expérimenté.

Le Cadavre (page 310), le Bourdonnement de l'abeille (page 318), la Respiration en alternance (page 320), la Respiration égale où l'on compte de 4 à 10 (page 316), méditation.
À éviter : Soyez prudent avec les postures où la tête est plus bas que le cœur (spécialement pour de longs laps de temps) telles que la Flexion

Usages spéciaux du yoga

Autres postures conseillées

(page 332) ou la Respiration circulaire où vous passez directement à l'expiration après l'inspiration et vice-versa. Travaillez sous la direction d'un maître expérimenté. À mesure que vous acquérez de l'expérience, vous saurez intuitivement quelles postures ne conviennent pas un jour donné. Si le stress est la cause de votre hypertension, pratiquez régulièrement le yoga.
(Voir *Yoga anti-stress*, page 354.)

debout (page 68), le Chien museau vers le sol (page 162) et les autres inversions. Utilisez le Verrou de la gorge (page 340) pour protéger la tête d'une montée de la tension artérielle. Soyez prudent avec le Verrou abdominal (page 338). Travaillez avec un maître expérimenté.

Indigestion. Les torsions, les flexions en avant et les flexions en arrière tonifient les organes digestifs. N'oubliez pas, le yoga est mieux pratiqué l'estomac vide.

Le Héros (page 120), le Héros à moitié couché (page 273), la Posture de l'angle tenu renversé (pour aider la digestion), le Sage tenu (page 198), Torsion du Sage (page 184), Torsion maintenue du Sage (page 200), l'Abdomen pivotant (page 190), l'Arc (page 252), le Pont soutenu (page 260), la Chandelle (page 286). Pratiquez en premier le matin le Brassage abdominal (page 348) (lisez les conseils de prudence).
À éviter : Le Brassage abdominal (page 348) lors des états inflammatoires du système digestif.

Insomnie. Faire travailler à fond le mental et le corps permet aux deux de se reposer plus facilement ensuite. Impliquez donc votre mental dans votre pratique physique. Pratiquez le matin des exercices faisant monter l'énergie, tels que la Salutation au Soleil (page 40) et les flexions en arrière. Si vous pratiquez le soir avant le coucher, concentrez-vous sur les flexions en avant et les inversions. Avant de vous coucher, pratiquez la Respiration alterné par les narines (page 320) et la méditation.

La Chandelle (page 286), la Charrue (page 292), le Cadavre (page 310).

Mal de dos. Il y a tellement de causes du mal de dos qu'il vaut mieux avoir un diagnostic médical avant de trouver un maître expérimenté. Commencez par des postures debout faciles et le travail de la respiration. Quand vous vous tenez bien, introduisez de lentes flexions en arrière, des torsions légères et des flexions assises en avant. Pratiquez les toniques abdominaux qui contribuent à la protection du dos. Pendant le Cadavre (page 310), fléchissez les genoux ou placez un traversin en dessous. (Voir aussi *Hernie discale*, page 362).

Flexion les jambes écartées (page 66), la Posture facile inversée (page 180), variante facile du Bateau (page 178), l'Abdomen pivotant les genoux fléchis (page 190), la Sauterelle (page 238), Long étirement reposant des jambes (page 313), le Verrou abdominal (page 338), le Verrou racine (page 340).

Usages spéciaux du yoga

Maux de tête de tension. Voyez *Yoga anti-stress* et la rubrique *Douleur du cou*.

Obésité. La Salutation au Soleil (page 40) aide à brûler les calories. Pratiquez beaucoup de postures debout, de flexions vers l'arrière et d'inversions. Si vous pensez que votre boulimie est due à des facteurs émotionnels, pratiquez régulièrement les *asanas* en compagnie du *pranayama* et de la méditation, pour apaiser les nerfs et les émotions.

Personnes âgées. Bien que vos postures puissent être moins larges que celles illustrées, elles offrent les mêmes bénéfices. Pratiquez les exercices d'assouplissement, prenez et quittez les postures au lieu de les maintenir, de sorte que l'agilité, la force et la flexibilité s'améliorent. Pratiquez des équilibres debout pour vous protéger des chutes. Utilisez des supports : un mur vous aidera à garder votre équilibre. Vous pouvez pivoter et vous pencher en avant assis sur une chaise, vous pouvez même vous pencher en arrière sur son dossier. Quel que soit votre état physique, la relaxation, le *pranayama* et la méditation sont toujours possibles.

Posture. Le yoga fait des merveilles pour corriger une mauvaise posture. Essayez d'assister à des cours donnés par des maîtres expérimentés qui s'assureront que vous pratiquiez les postures avec un alignement correct (le Iyengar yoga est un bon point de départ). Les postures debout utilisent l'ensemble du corps de façon intégrée. Choisissez des postures ciblant vos zones tendues susceptibles de créer aussi une mauvaise posture dans d'autres zones. Les postures qui ouvrent les épaules et les flexions vers l'arrière profiteront au dos voûté. Utilisez les flexions en avant pour assouplir les muscles longs de la partie postérieure des cuisses. Votre pratique quotidienne peut être effectuée loin du tapis d'exercice – elle peut inclure la vérification de l'alignement lorsqu'on se tient dans la posture de la Montagne à l'arrêt du bus.

La Montagne (page 46).

Prostate élargie. Accroît la vitalité de la région pelvienne grâce à la Posture de l'angle tenu renversé (page 136) et aux flexions en avant. La Chandelle du débutant (page 280) favorisera l'apaisement des blocages mineurs.

L'Arc (page 252) et autres flexions du dos, couché sur le ventre.

Usages spéciaux du yoga

Autres postures conseillées

Séropositivité. Voyez *Cancer* et *Soutien immunitaire*.

Soutien immunitaire. La pratique régulière d'une série bien choisie de postures favorise toutes les fonctions corporelles. Après les *asanas*, consacrez du temps à la position du Cadavre (page 310) et au *pranayama*. Alors que les *asanas* favorisent la santé au niveau cellulaire, le Cadavre aide la guérison à un niveau profond. Le *pranayama* apaise le mental et soulage le stress associé à la maladie chronique. La méditation ouvre l'esprit à l'idée de quelque chose de plus grand que soi. Pour beaucoup, cette idée aide et soigne.

La chandelle (page 286). Ne sous-estimez jamais le pouvoir curatif de la méditation.

Stress. Voir *Yoga anti-stress* (page 354).

Troubles dûs au décalage horaire. Imposent un grand stress au *corps-esprit* – pratiquez les postures reposantes à l'arrivée. (Voir *Yoga anti-stress*, page 357.) Pratiquez les flexions en avant assises en plaçant un traversin sous la poitrine pour la soutenir, de sorte que les postures soient plus reposantes pour le cerveau. Dans toutes les positions, concentrez-vous sur le ralentissement et l'harmonisation de la respiration. Les inversions sont tenues pour "rafraîchir" le cerveau et diminuer la congestion provoquée dans les jambes par les longues heures passées en position assise.

Le Chien museau vers le sol (page 162), le Pont soutenu (page 260), la Chandelle (page 286), la Chandelle du débutant (page 280), le Cadavre (page 310).

Troubles menstruels (déséquilibres hormonaux). Les flexions vers l'arrière, les flexions en avant, les torsions et la Salutation au Soleil (page 40) accroissent la vitalité de la région pelvienne. La Posture de l'angle tenu renversé (page 136) et la Charrue (page 292) sont des positions clés. En baignant de sang le cerveau (et les glandes endocrines), les postures inversées favorisent l'équilibre hormonal.

Le Sage tenu (page 198), Torsion du Sage (page 184), Torsion maintenue du Sage (page 200), le Pont soutenu (page 260), la Sauterelle (page 238), l'Arc (page 252), l'Abdomen pivotant (page 190), la Chandelle (page 286), le Poirier (page 296), le Cadavre (page 310).
À éviter : Bien que les postures inversées aident à équilibrer les hormones, elles sont à éviter pendant la menstruation.

Veines variqueuses. Consultez un médecin d'abord. Pour que l'état n'empire pas et pour alléger les symptômes existants, stimulez la circulation grâce à la Salutation au Soleil (page 40). Incluez des postures inversées comme la Chandelle du débutant (page 280), la Chandelle (page 286) ou le Poirier (page 296). À la fin de la journée, pratiquez pendant 15 minutes une respiration régulière dans la Chandelle du débutant. (Voir aussi *Congestion des jambes*, page 359.)

Méditation

Tout au long de l'histoire et dans toutes les cultures, les hommes ont cherché des moyens de dépasser les limitations de la vie et de découvrir davantage sur eux-mêmes et la nature de la réalité. Le terme méditation, "se familiariser avec", est une façon d'explorer le moi. Dans la vie moderne, où les sens tendent à se tourner vers l'extérieur, la méditation est une merveilleuse occasion de prêter l'oreille aux ressources intérieures du corps.

Les hommes méditent pour une diversité de raisons. Beaucoup se servent de la méditation pour se détendre et gérer le stress. La méditation aide à ralentir ou apaiser le mental, équilibre les émotions, guérit, aide à résoudre les problèmes en suscitant les intuitions, dont la gamme va des plus significatives spirituellement aux plus banales. Elle peut conduire à des états élevés de conscience, de paix et de clarté. Faire l'expérience de visions, de sentiments d'extase, de vitalité et de conscience sensorielle accrue est monnaie courante parmi les pratiquants. Certains ont l'impression de se connecter à un aspect supérieur du moi, ou avec le divin. Il y a d'innombrables techniques de méditation. Demandez-vous ce que vous désirez accomplir et trouvez une méditation adaptée. Expérimentez avec les techniques de méditation jusqu'à trouver celle qui est en résonance avec vous. Des pratiques comme la Méditation relaxante (page 369) et la Méditation des cinq sens (page 374) sont de bons points de départ. Quand vous avez amélioré votre concentration, essayez les méditations par la visualisation (page 371) et le son (page 372).

Laissez aller le besoin d'atteindre un certain point durant chaque séance de méditation.

Alors qu'un bon maître de méditation peut s'avérer très utile, vous pouvez faire beaucoup tout seul. Si vous décidez de trouver un maître ou de suivre des cours de méditation, faites attention à la qualité et à la pertinence de ce qu'on vous propose.

En dernière instance, la méditation est un objectif personnel. Lorsque vous avez pratiqué une technique telle que vous l'avez apprise, vous êtes libre de l'adapter à vos préférences. Ne vous fiez pas à n'importe quoi – faites appel à votre propre expérience et à votre intuition et vous découvrirez la vérité.

À la longue, l'habitude de méditer régulièrement dispense de meilleures satisfactions et devient, de surcroît, une habitude naturelle. Choisissez un moment s'intégrant bien dans votre programme, de jour ou de nuit. Une séance quotidienne de 15 à 30 minutes est parfaite. Si vous avez du mal à y consacrer ce laps de temps,

Avec le temps, la position des mains prépare le mental à la méditation.

commencez par 5 à 10 minutes par jour. Beaucoup trouvent qu'avec le temps la durée de leur méditation se prolonge naturellement.

Une musique douce en sourdine favorise certaines formes de méditation, surtout celles se concentrant sur la relaxation et la visualisation. Si vous en avez envie, faites brûler de l'encens ou des huiles aromatiques – expérimentez. La méditation est plus facile à pratiquer dans une ambiance calme et paisible, spécialement lorsque vous débutez. Aménager dans la maison ou le jardin un lieu consacré à la pratique présente l'avantage de laisser à l'énergie apaisante la possibilité de s'y accumuler. Vous finirez par développer la capacité de méditer plus ou moins n'importe où et dans toute situation.

Un CD pour la méditation est un avantage, particulièrement aux étapes initiales de la méditation. Vous pouvez enregistrer le vôtre, en vous servant des exercices suivants comme base.

Tenir un journal personnel des découvertes et des expériences améliorera votre progrès dans la méditation. Il n'y a pas de "bien" ou de "mal" – quoi que vous éprouviez convient. En faisant des expériences, gardez l'esprit ouvert et curieux. Persévérez avant que les effets deviennent manifestes. Soyez patient et acceptez l'idée que c'est là une partie essentielle du processus. Les récompenses d'une pratique de méditation régulière, constante, intelligente, sont doubles. Elles ne sont pas uniquement destinées à un avenir lointain, mais surviennent tout au long de votre chemin.

Apprenez à vous asseoir bien droit et immobile sur le plancher, dans une position confortable. Utilisez si nécessaire des coussins.

Positions pour la méditation

Le plus important quant au choix d'une posture est d'en trouver une qui, idéalement, permettra à votre colonne vertébrale d'être relativement droite, sans tension inutile. Votre pratique des postures yoga vous aidera à rester assis bien droit et immobile, dans une position confortable. La posture du Cadavre (page 310) est parfaite pour les techniques de méditation basées sur la relaxation. Placez un petit coussin sous votre tête ou un plus grand sous vos genoux.

Le Lotus (page 152) est une posture classique de méditation, généralement trop difficile pour le corps d'un Occidental. Le Demi-lotus (page 152) convient à certains. La plupart trouvent que s'asseoir en tailleur dans la Posture facile (page 106) et la Posture parfaite (page 112) ou s'agenouiller sont des variantes plus réalistes pour un usage quotidien. Utilisez assez de coussins pour vous assurer que les articulations coxo-fémorales se trouvent plus haut que les genoux fléchis. Cette position permettra au dos de se tendre davantage.

S'asseoir le dos droit sur une chaise convient aussi pour la méditation. La hauteur la plus confortable est celle où les genoux et les hanches forment des angles droits. Assurez-vous que les pieds touchent sans problème le sol – si nécessaire, placez en dessous un annuaire téléphonique !

Méditation relaxante – relaxation physique, mentale et émotionnelle profonde

La capacité de se relaxer sur le plan physique, mental et émotionnel est essentielle pour le maintien de la santé et du bien-être, en plus d'être un important point de départ pour les débutants. Consolidant toutes les autres formes de méditation, cette pratique est utile pour les méditants plus expérimentés. Enregistrez la séquence suivante sur une cassette ou demandez à un ami de le faire pour vous. Accordez-vous de 15 à 20 minutes.

Pratiquez la posture du Cadavre (page 310). Examinez mentalement votre corps pour découvrir toute zone de tension ou de gêne. Observez uniquement ces zones – résistez à l'envie de les juger ou de leur accorder une pensée chargée d'émotions. Passez ensuite

La position des pieds lors de cette posture avancée pour la méditation exige une grande souplesse.

La posture du Cadavre permet de laisser aller toute anxiété quotidienne et de se plonger dans le mental paisible.

lentement en revue votre corps, de la tête aux pieds. Restez avec chaque partie pendant un instant, puis laissez-la se détendre. Acceptez chaque zone de votre corps, quelle que soit la sensation qu'elle offre.

Quand tout le corps est détendu, devenez conscient de vos sentiments. Tout ce que vous ressentirez sera parfait. Restez un instant avec chaque sensation, puis laissez-la s'en aller. Vous êtes l'observateur passif de vos sentiments. Imaginez-les emportés par un courant d'eau fraîche. Cette eau pure circule à travers vous. À mesure que ce flot clair élimine chaque sensation, vous commencerez à éprouver une paix et une clarté intérieures.

Après un moment, devenez conscient de toute pensée vous traversant l'esprit. Tout ce que vous pensez est parfait. Sachez que toute pensée apparaîtra, puis disparaîtra. Il suffit d'en être conscient, comme un témoin silencieux, puis de la laisser s'en aller. Imaginez une brise fraîche soufflant à travers votre esprit, le vidant et le clarifiant.

Finalement, offrez-vous le repos dans l'immobilité. Il n'y a rien à faire ou à accomplir. Contentez-vous d'être. Vous n'êtes pas un humain agissant, vous êtes un être humain. Laissez-vous exister dans l'immobilité. Existez.

Sachez qu'à chaque fois que vous pratiquerez cette méditation vous irez plus loin et en bénéficierez de plus en plus.

Pour sortir de cette méditation, accordez-vous à vos pensées. Devenez une fois de plus conscient de vos sentiments. Intensifiez votre conscience du corps en tant que forme unique, vous reposant, vous relaxant. Laissez le corps s'éveiller jusqu'à ce que vous soyez prêt à ouvrir les yeux. Vous reviendrez reposé, rafraîchi et relaxé.

Imagerie guidée – visualisation

La visualisation est une puissante technique au moyen de laquelle vous vous familiariserez avec votre imagination. L'imagination, merveilleux outil, permet de créer une attitude mentale et existentielle particulière. Vous pouvez visualiser des couleurs, des lieux, des symboles, des mandalas, des dieux, des saints, des lames du Tarot. Les hommes choisissent souvent une image qui a un sens religieux ou spirituel précis pour eux, ou une chose sur laquelle ils veulent apprendre davantage. Un bon point de départ est de trouver un objet qui vous intéresse particulièrement pour vous concentrer sur lui pendant un certain nombre de séances de méditation. Ainsi, votre méditation gagnera du terrain et conduira parfois à des expériences plus intenses et plus significatives. Pour la méditation suivante, imaginez que vous êtes dans la nature. La sensation doit être légère et agréable jusqu'à ce que votre imagination prenne le dessus et vous conduise plus profondément en vous. Accordez-lui 15 minutes.

● Asseyez-vous ou étendez-vous confortablement. Prenez quelques respirations lentes, profondes, régulières. Passez mentalement en revue votre corps pour le détendre partie après partie, du sommet de la tête à la pointe des pieds.

● Une fois que vous êtes relaxé, imaginez-vous debout sur une plage.

La visualisation est basée sur une image qui vous intéresse.

● Regardez le beau sable doré. Un ciel bleu et clair s'étend au-dessus de vous. Notez à quel point les rayons du soleil brillent sur l'eau. Observez les branches des arbres qui oscillent dans la brise.

● Écoutez les vagues se brisant sur le rivage, le gentil bruissement des arbres proches et l'appel des mouettes planant dans le ciel.

● Humez le sable entre vos orteils, le soleil qui réchauffe votre visage et votre corps, l'air qui caresse votre corps.

● Sentez et goûtez l'air frais de la mer.

● Devenez conscient de l'atmosphère de cet endroit. Quelle impression la situation vous laisse-t-elle ? Prenez le temps d'explorer cette place. Allez nager, prenez un bain de soleil, promenez-vous sur la plage.

● Revenez au monde réel en devenant conscient dans le corps physique. Prenez quelques longues respirations – votre corps s'éveille davantage sur chaque inspiration. Écoutez les sons qui vous entourent. Quand vous êtes prêt, ouvrez les yeux.

Méditation du son

Le son peut être intégré à la méditation grâce à un *mantra* – mot, phrase ou expression répétée soit à haute voix, soit en silence. L'utilisation des mots clés durant la méditation peut avoir un effet très puissant, car elle concentre le mental et apaise les émotions.

De nombreux bouddhistes se servent du mantra *Om mane padme hum* (littéralement "le joyau dans le lotus"). *Om nama shivaya*, consacré au dieu hindou Shiva, est populaire en Inde. Les mantras peuvent être extraits des *Veda* (textes classiques indiens), du Coran, de la Bible ou de tout autre texte sacré. Nombre de personnes trouvent que les affirmations positives, telles que "Chaque jour, de toutes les façons possibles, je deviens meilleur", sont efficaces.

Pour pratiquer ce genre de méditation, asseyez-vous ou étendez-vous confortablement. Prenez quelques respirations lentes et profondes et laissez-vous devenir immobile. Gardez à l'esprit le mantra ou l'affirmation de votre choix et répétez-les mentalement de façon rythmique. Le mental a une nature errante. À chaque fois qu'une pensée, un sentiment ou une sensation vous distrait, ramenez doucement l'attention au son de votre mantra. Quand votre mental devient plus concentré, murmurez le mantra de plus en plus doucement, jusqu'à ce que vous reposiez dans le silence et l'immobilité.

La psalmodie est une autre pratique spirituelle utile. Expérimentez avec les différents sons (comme un fredonnement soutenu), mots (comme la syllabe sacrée *Aum*) ou toute phrase qui a un sens pour vous. Utiliser la voix pour énoncer des voyelles prolongées comme "aaaaaaa", "eeeeeee" et "ooooooo", c'est *harmoniser*, très puissant outil de concentration mentale et de guérison.

Le moment présent – la méditation des cinq sens

Être dans le moment présent est une expérience très intense. Avec

Un mantra peut être répété rythmiquement, soit verbalement, soit mentalement.

Pratiquez la conscience attentive des sens pour compenser aux soucis quotidiens.

la pratique de la conscience sensorielle durant la méditation, l'intégration de l'attention et de la concentration des sens dans votre vie quotidienne améliore sa qualité ainsi que votre efficacité. Beaucoup considèrent le sentiment du moment présent comme un outil capable d'éloigner les fardeaux habituels envahissant leurs pensées. Exercez-vous à être conscient de l'un des cinq sens aussi longtemps que possible. Par exemple, écoutez attentivement quand quelqu'un parle. Essayez d'utiliser votre vision : que voyez-vous en vous dirigeant vers votre travail ? Mangez avec conscience pour réellement discerner le goût de vos aliments. Notez leur couleur, odeur, texture. Prenez conscience de la façon dont votre corps se sent avant et après avoir consommé certains aliments. Passez un peu de temps dans la nature, vous détendant réellement comme un enfant. Ces pratiques vous feront finalement saisir la plénitude du moment présent.

Si cet exercice fait entrer dans le moment présent, c'est en se concentrant sur les sens. En lui accordant de 5 à 10 minutes, vous éprouverez un sentiment d'immobilité.

Asseyez-vous et étendez-vous les yeux fermés. Approfondissez la respiration, régulière et égale.

Accordez-vous d'abord à l'odorat, en devenant conscient de ce que vous humez à tel moment et à tel autre. Si votre mental erre, ramenez-le à cette conscience.

● Après 2 à 3 minutes, passez au goût. Que percevez-vous sur la langue ? Sur le palais ? Restez concentré et attentif.

● Après quelques minutes, passez à la vision. Ouvrez les yeux et regardez. Observez avec grande attention.

● Fermez de nouveau les yeux. Passez au toucher. Sentez-vous le contact avec votre corps ? Observez la sensation du tissu contre la peau et le baiser de l'air sur la peau dénudée. Ouvrez-vous au toucher comme jamais auparavant.

● Passez à l'ouïe. Écoutez les sons lointains. Accordez-vous aux sons de votre espace environnant et à ceux de votre corps. Écoutez attentivement.

● Tournez votre conscience au-dedans et reposez-vous dans l'immobilité. Laissez-vous exister.

● Devenez une fois de plus conscient de tous vos sens. Passez-les en revue dans l'ordre inverse : ouïe, toucher, vue, goût, odorat. Prenez quelques somptueuses respirations lentes et profondes. En sortant de cette méditation, observez vos sens lors de vos occupations quotidiennes.

S'accorder à ses sens en méditant accroît la conscience qu'on en a lorsqu'on vaque à ses occupations quotidiennes.

Trouvez votre yoga

Trouvez votre yoga

La branche du yoga la plus répandue en Occident est le Hatha yoga. Ce nom sert de terme général englobant d'autres branches à dominante physique, comme le Iyengar yoga et l'Ashtanga Vinyasa yoga.

Les autres branches du yoga sont moins connues. Conférez à votre yoga de la souplesse et combinez vos pratiques de la façon vous convenant le mieux. Lisez les pages suivantes pour trouver votre yoga.

Quelle que soit la tradition qui vous attire, un bon maître n'est jamais de trop. Assurez-vous de la qualification et de l'expérience des enseignants potentiels. Les maîtres expérimentés offrent une compréhension profondément intuitive du yoga, puisée dans des années de pratique régulière. Questionnez-les sur leur pratique personnelle. La façon dont ils vivent donne la mesure du degré d'intégration du yoga dans leur vie.

Sur le plan physique, les maîtres donnent des conseils précieux quant à l'alignement et stimulent le mental pour que l'élève reste présent durant la pratique. Il ne faut cependant pas oublier que le yoga est bien davantage qu'un moyen d'arriver à faire des nœuds avec son corps – c'est aussi toute une philosophie. Un cours de yoga peut n'être qu'une série d'exercices physiques ou être imprégné d'idées qui éveillent votre intérêt, vous font réfléchir et vous encouragent à rechercher le mystère de la vie. Votre voyage dans le yoga est personnel. Trouvez une tradition qui vous attire et un maître avec lequel le courant passe. Il s'avérera un guide utile sur la voie que vous avez choisi de suivre.

Certains types de yoga placent l'accent sur les pratiques mentales plutôt que sur celles physiques.

Les neuf branches
de l'arbre du yoga

Bien que beaucoup de gens se mettent au yoga pour devenir plus flexibles ou pour guérir leur mal de dos, toutes les voies du yoga visent le même but : l'union de la conscience individuelle avec la conscience universelle. Tout individu a une affinité avec une voie ou une autre, en fonction de son mode de vie, de sa personnalité et de ses objectifs propres. Voici quelques branches de l'arbre du yoga, qui parfois se superposent. Combinez-les à votre guise pour créer votre yoga intégral.

Bhakti yoga

Pratique impliquant d'honorer et de servir Dieu et/ou un guru (maître spirituel). Elle comporte souvent des *kirtan* (séances de psalmodie) et cultive une relation intense avec le divin. Le Bhakti yoga convient aux personnes à la nature émotionnelle et aimante.

Hatha yoga

Le Hatha yoga est philosophiquement enraciné dans le mouvement tantrique. Il utilise le corps comme un outil d'exploration intérieure. Le Hatha yoga vise à purifier le corps et donc le mental grâce à l'utilisation des *asanas* (postures), des *mudras* (gestes), du *pranayama* (contrôle de la respiration) et des *kriyas* (techniques de nettoyage).

La répétition mentale d'un mantra
est du domaine du Japa yoga.

Le Hatha yoga utilise le mouvement pour aboutir à l'immobilité intérieure.

Le mot *hatha*, composé de "soleil" (*ha*) et "lune" (*tha*), véhicule l'idée d'équilibre des influences complémentaires. Le Hatha yoga entraîne une combinaison d'abandon et d'effort pour attendre l'union. L'effort requis explique pourquoi on l'appelle "yoga de force" et aussi pourquoi il est idéal pour les personnes en quête de santé et de forme.

Japa yoga (Mantra yoga)

Un mantra est une syllabe, un mot ou une phrase, répété mentalement, à haute voix ou psalmodié pour focaliser le mental et harmoniser le corps. Il peut aussi être dirigé vers le divin. Le Japa yoga convient aux personnes sensibles aux vibrations sonores, qui désirent s'éloigner d'une existence bruyante et utiliser leur voix.

Jnana yoga

C'est le "yoga du vrai savoir", qui utilise l'étude personnelle, la raison et le débat pour atteindre la sagesse. Convient aux personnes dotées d'un esprit rationnel, analytique, appréciant la philosophie et naturellement introspectives.

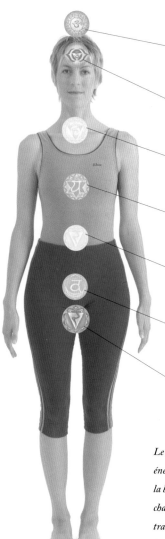

Chakra couronne (*Sahasrara chakra*).
Se rapporte à l'illumination spirituelle et à
l'état de félicité.

Chakra des sourcils (Troisième œil) (*Ajna
chakra*). Se rapporte à l'intuition et à la
sagesse.

Chakra de la gorge (*Visuddha chakra*).
Se rapporte à la communication, à l'expression
personnelle et à la vérité.

Chakra du cœur (*Anahata chakra*). Se rapporte
à l'amour sans condition, à l'autoguérison et à
la joie.

Chakra du plexus solaire (*Manipura chakra*).
Se rapporte au pouvoir, à la volonté et à
l'action.

Chakra du nombril (*Svadhisthana chakra*).
Se rapporte à la créativité, à la sexualité et aux
relations.

Chakra racine (*Muladhara chakra*). Se rapporte
à la stabilité, à la survie et aux besoins
essentiels.

*Le Laya yoga travaille avec les sept centres
énergétiques (chakras) du corps astral, qui vont de
la base de la colonne jusqu'au sommet de la tête. Les
chakras sont des "roues d'énergie", centres de force à
travers lesquels on absorbe, on transmet et on traite
les énergies de la vie.*

Karma yoga

C'est la voie du service altruiste, offert sans attendre de récompense. Le pratiquant vise à abandonner les fruits de ses actions. Ses adeptes pensent que toutes les actions (physique, verbale, mentale) ont des conséquences dont on doit assumer la responsabilité. Le Karma yoga convient aux personnes actives qui désirent servir l'humanité.

Laya yoga

Ce yoga entraîne des pratiques spéciales agissant sur les *chakras* (centres énergétiques) pour maîtriser leurs fonctions. Connu aussi sous le nom de Kundalinî yoga, il peut être très puissant. Il est donc conseillé de se trouver un maître expérimenté.

Raja yoga

Appelé "voie royale" ou parfois "yoga classique", le Raja yoga développe le contrôle sur le mental. Il se sert de la volonté et de la méditation pour améliorer la concentration, faire cesser les tourbillons du mental et établir l'union.

Tantra yoga

Le Tantra est compris de manière assez erronée en Occident, où il est souvent tenu pour un type de sexualité spiritualisée. En réalité, la sexualité est une partie très mineure du Tantra yoga, qui utilise le rituel, la renonciation, les cérémonies, la méditation et le mysticisme. Le Hatha yoga est en fait l'une de ses branches.

Le Raja yoga se sert du questionnement de soi via la méditation.

Quelques styles du Hatha yoga

Le Hatha yoga est le terme général désignant le yoga qui se sert de pratiques physiques pour atteindre ses objectifs. Bien que tout exercice physique yogique soit tenu pour appartenir au Hatha yoga, les cours enseignent d'ordinaire des formes douces de yoga, à un rythme lent ou moyen. Le style d'enseignement et le degré de difficulté varient d'un maître à un autre – beaucoup ont étudié les diverses traditions et les ont combinées à leur propre manière. Généralement, un cours comprend des postures qui mettent l'accent sur le souffle, une relaxation finale et parfois un peu de psalmodie ou de méditation. C'est là une bonne introduction au yoga. Les

postures sont facilement adaptables au niveau des élèves. Ci-après sont présentés quelques styles de Hatha yoga.

Le Hatha yoga très pratiqué en Occident se concentre principalement sur la posture et le souffle.

Ashtanga Vinyasa yoga

Si vous avez envie d'un exercice aérobic, si vous aimez transpirer et si vous désirez avoir un corps tonique et souple, c'est le style qui vous convient. Vigoureux et dynamique, l'Ashtanga Vinyasa sera bénéfique aux personnes en quête de force, de flexibilité, d'un mental clair et d'un coup de fouet énergétique. Ce système de respiration et de mouvement combine la Respiration glottique (page 322) avec une large gamme de postures découlant l'une de l'autre – la plupart sont maintenues pendant cinq respirations avant de continuer. Il utilise aussi les verrous énergétiques (*bandhas*, pages 338 à 341) et les points de focalisation du regard (*drishti*, page 328), pour concentrer le mental durant la pratique. Grâce à son accent posé sur la pratique plutôt que sur la théorie, une fois que l'élève a appris la séquence, il devient autosuffisant.

K. Pattabhi Jois de Mysore (sud de l'Inde) a aidé à populariser l'Ashtanga Vinyasa en Occident.

Sa pratique génère une chaleur profitant à la flexibilité, qui s'améliore. La séquence étant précisément établie, il est plus difficile d'adapter les postures pour prévenir les blessures. Bénéfique pour les problèmes du dos, ceux qui ont tendance à avoir mal aux genoux doivent faire attention – les exigences des postures, combinées à la raideur des hanches chez beaucoup d'Occidentaux risquent d'endommager ceux-ci. Les débutants doivent commencer par un cours adapté ou par une forme de yoga plus lente.

L'Ashtanga Vinyasa yoga est vigoureux, physiquement exigeant.

Iyengar yoga

Ce style a une vision très précise des postures yoga. Par exemple, l'instructeur dira de relever la peau de la face avant des aisselles ou donnera des indications détaillées sur le placement du petit orteil. Cette attention pour les détails et la profonde compréhension de la mécanique des postures en font un excellent point de départ pour les débutants. Il convient aux personnes désirant améliorer leur posture ou à celles souffrant d'un problème spécifique de santé.

B.K.S. Iyengar a fait connaître ce type de yoga en Occident dans les années 1960. De nombreux maîtres l'ont pratiqué à un moment ou un autre. M. Iyengar, qui a plus de 80 ans, enseigne toujours le yoga à Pune (Inde). Il est convaincu que le corps possède sa propre intelligence et qu'en se concentrant sur son alignement physique on peut développer la conscience globale et l'équilibre du mental et du corps.

À la différence de l'Ashtanga Vinyasa, où la respiration fait partie intégrante de la pratique, l'Iyengar yoga s'y intéresse bien plus tard, préférant attendre l'achèvement d'un certain niveau de compétence aux *asanas*. Il prône de longs maintiens des postures. Pour arriver à un alignement correct et le garder, il se sert d'accessoires, couvertures, blocs de bois, ceintures. Cette forme de yoga est facilement adaptable aux divers niveaux de force, d'expérience et de flexibilité. Bien qu'un cours puisse commencer par une brève psalmodie, on pratique peu de méditations prolongées ou d'exercices respiratoires.

L'Iyengar yoga accorde une grande importance à la précision de l'alignement.

Satyananda yoga

Le Satyananda yoga a une approche très holistique. Les cours traitent des *asanas*, du *pranayama* et des techniques de nettoyage interne, ainsi que des pratiques plus méditatives du Raja, Kundalinî, Jnana et Kriya yoga. Toutes les bases étant couvertes, qu'elles soient à tendance spirituelle, intellectuelle ou physique, chacune a quelque chose d'attirant.

Le Satyananda yoga favorise le développement de la conscience du moi. Chaque cours enseigne une diversité de postures, y compris des exercices d'assouplissement visant à générer et à faire circuler un courant d'énergie. Il inclut aussi le *pranayama* (contrôle de la respiration), la relaxation profonde (*nidra*) et la méditation. Ce style convient parfaitement aux personnes attirées par les aspects spirituels et philosophiques du yoga.

Le Satyananda yoga est dirigé par deux gurus : Swami Naranjan, formé dès l'enfance pour prendre la tête de cette école, et Swami Satyananda, le fondateur, qui s'est retiré et vit en reclus.

Swami Satyananda est le premier guru indien à avoir incité principalement les femmes occidentales à prononcer leurs vœux de *swamis* (nonnes ou moniales). Leur école est devenue une université de yoga reconnue par les autorités.

Le Satyananda yoga met l'accent sur la spiritualité et la conscience du moi.

Kundalinî yoga

Cette école spirituelle convient aux personnes en quête d'un état de conscience plus élevé, intéressées par la méditation. *Kundalinî* est le nom donné à l'énergie lovée à la base de la colonne vertébrale. Ce yoga cherche à éveiller cette énergie (comparée à un serpent assoupi) et à libérer le pouvoir dormant dans chaque individu, pour qu'il puisse entrer en contact avec son essence.

Le Kundalinî yoga est caractérisé par plusieurs séries de pratiques ciblées. Bien qu'un cours puisse varier d'une semaine sur l'autre, si vous poursuivez un objectif particulier le maître vous conseillera une série de pratiques à effectuer régulièrement à la maison pendant 40 jours, 90 jours ou même plus.

Une série (*kriya*) peut viser à stimuler le système immunitaire, une autre à éveiller le *chakra* du cœur, une troisième à préparer à la méditation profonde. Les exercices de chaque *kriya* sont à suivre dans un certain ordre, pour une durée de temps donnée et pendant un certain nombre de jours. Par exemple, vous maintiendrez la même posture pendant trois minutes et la combinerez avec des *bandhas* et une longue respiration profonde, ou avec la Respiration de soufflet, le "souffle de feu".

La méditation joue un rôle important dans le Kundalinî yoga, qui comprend souvent des *mudras*, des *mantras* ou des chants. Ceux-ci sont brefs – *bija mantras* (sons germes) en rapport avec les *chakras* – ou longs.

Le guru du Kundalinî yoga, Yogi Bhajan, Sikh indien, qui vit au Nouveau Mexique, est venu en Occident pour enseigner ce style de yoga. Des centres existent maintenant dans le monde entier.

Le Kundalini yoga utilise souvent la Respiration de soufflet en pratiquant les asanas.

Viniyoga

Ce style a été développé par feu le maître Shri T. Krishnamacharya, professeur de B.K.S. Iyengar et de K. Pattabhi Jois. Ses diverses approches du yoga ont été affinées par Iyengar et Jois pour leurs propres systèmes. Vers la fin de sa vie, il a conçu un système moins contraignant – Viniyoga – que son fils, T.K.V. Desikachar, enseigne actuellement. Desikachar et son fils Kausthub vivent en Inde et se déplacent dans le monde entier pour donner des conférences et enseigner le Viniyoga.

En raison de sa grande capacité thérapeutique, le Viniyoga est enseigné d'habitude de façon très personnalisée. Le maître évalue l'état de l'élève (physique, mental et émotionnel) et conçoit une pratique yoga à effectuer en cours et chez soi. Ce style holistique est une pratique de rééquilibrage adaptable à tout domaine. L'idéal est d'avoir à l'esprit une situation particulière ou un objectif spécifique. La pratique personnelle peut se baser sur un certain nombre de choses : exercices de dévotion ou exercices physiques, psalmodies des *Veda*, contrôle de la respiration ou méditation – certaines choses considérées comme extérieures au domaine du yoga peuvent même être conseillées, comme jouer d'un instrument musical.

On entre et on sort souvent des postures
Viniyoga sur le rythme de la respiration.

Bikram yoga

Bikram Choudury, basé à Los Angeles, a créé ce système "brûlant" pour les personnes qui ne craignent pas la chaleur. Le Bikram yoga consiste en des séries standard composées de deux exercices respiratoires et de vingt-quatre postures, suivies par une relaxation. Il s'attaque aux affections communes et est accessible aux débutants.

Chaque posture prépare le corps pour la suivante. Aucun accessoire (sauf éventuellement l'appui contre un mur) n'est proposé, aucune posture inversée n'est enseignée. Il y a très peu de fortifiants de la partie supérieure du corps.

La pièce, chauffée à une température allant de 36 ° à 42 °C, aide les élèves à éliminer les toxines à travers la transpiration. Ils peuvent s'étirer là davantage qu'ils ne l'ont fait par le passé. Bien que certains soient passionnés par ce style inédit de yoga et trouvent la séance revigorante, le yoga dans un sauna n'est pas bon pour tout le monde. Le Bikram yoga convient davantage aux personnes prêtes à se battre contre l'adversité qu'à celles en quête de contemplation paisible.

En tant que séquence précise, le Bikram yoga convient moins aux personnes souffrant de problèmes de santé particuliers.

Sivananda yoga

Cette forme de yoga est idéale pour les personnes appréciant un
mélange de pratiques physiques et spirituelles. Chaque cours inclut
un peu de psalmodie plus quelques exercices de respiration, suivis des
asanas. Tout cours comprend les mêmes douze postures, conçues pour
stimuler les *chakras*. La stimulation intervient au point culminant de la
posture – elle monte progressivement depuis le *chakra racine* (via une
posture debout) jusqu'au *chakra couronne* (via le Poirier, qui ne convient
pas toujours aux débutants). Une relaxation finale systématique est
pratiquée toujours.

Le Sivananda yoga convient aux débutants, car il leur permet de
s'habituer à la même séquence et d'approfondir leur compréhension
des postures prises. Cette tradition ne sera pas choisie par les
personnes préférant une pratique plus variée. À la différence d'autres
écoles de Hatha yoga, le Sivananda place moins l'accent sur
l'alignement et plus sur la psalmodie et le contrôle de la respiration.

Il a été conçu par feu Swami Vishnu Devananda, disciple de Swami
Sivananda (Swami Sivananda a été aussi le guru de Swami
Satyananda). Le Sivananda yoga est maintenant dirigé par un
groupe de *swamis* en grande partie occidentaux. Des centres et
des ashrams existent dans le monde entier, très orientés vers les
aspects spirituels du yoga.

*Tout cours de Sivananda yoga
enseignant les mêmes postures, les
débutants se trouveront avantagés.*

Glossaire

Adho Descendant.

Anguli Orteils.

Anjana Nom de la mère de Hanuman, dieu-singe hindou.

Ardha Demi.

Asana Posture ou position.

Baddha Tenu.

Bandha Verrou énergétique ou sceau dans le corps.

Bharadva Nom d'un sage.

Bheka Grenouille.

Corsp-esprit Tous les aspects de l'individu – physique, psychologique, émotionnel et spirituel.

Chandra Lune.

Danda Bâton.

Dhanura Arc.

Dharana Concentration.

Dhyana Méditation.

Dristhi Regard.

Dvi Deux ou ensemble.

Eka Un.

Gheranda Sage, auteur de *Gheranda Samitha.*

Go Vache.

Hala Charrue.

Hasta Main.

Hatha Yoga de l'effort.

Jala Eau.

Jalan Réseau.

Janu Genou.

Jathara Abdomen

Kapota Pigeon ou colombe.

Karani Actif.

Kasyapa Sage légendaire, père des dieux et des démons.

Kriya Procédé de nettoyage interne.

Kundalinî Énergie lovée à la base de la colonne vertébrale, comparée à un serpent assoupi.

Kurma Tortue.

Maha Grand, noble.

Mala Guirlande ou couronne.

Mantra Hymne ou mot répété.

Marichi Sage, fils de Brahma.

Matsya Poisson.

Mayura Faisan.

Mudra Position spécifique engendrant un sceau énergétique dans le corps.

Mukha Bouche ou visage.

Mula Racine.

Nadis Canaux énergétiques subtils.

Neti Nettoyage du nez.

Nidra Sommeil.

Nirlamba Sans soutien.

Pada Jambe ou pied.

Padma Lotus.

Parigha Une poutre ou une barre utilisée pour
fermer une porte.

Parivrtta Pivoté.

Parsva De côté, latéral.

Paschima L'Occident.

Patanjali Philosophe, auteur des *Yoga-sutra*.

Pinda Fœtus, embryon.

Prana Souffle, respiration, vie, vitalité, vent,
énergie, force. Également, connotation
d'âme.

Pranayama Contrôle du souffle. La quatrième
étape du yoga et l'axe autour duquel
tourne sa roue.

Prasarita Tendu, étiré.

Raja Seigneur ou roi.

Salamba Soutenu.

Sama Le même, égal ou régulier.

Samadhi La huitième étape du yoga, la plus
élevée. État dans lequel on éprouve un
sentiment de joie et de paix suprêmes.

Sarvanga L'ensemble du corps.

Sasanka Lièvre, lapin.

Sava Cadavre.

Setu bandha Construction d'un pont.

Sirsa Tête.

Sodhana Purification, nettoyage.

Sukha Bonheur, délice, joie, plaisir, confort.

Supta Couché.

Tada Montagne.

Tan Étirer, allonger.

Tittibha Luciole.

Trataka Regarder, contempler.

Tri Trois.

Upavista Assis.

Urdhva Élevé, monté, ascendant.

Ustra Chameau.

Ut Intense.

Utthita Tendu.

Vasistha Sage légendaire.

Viloma Contre l'ordre des choses.

Viparita Inversion, inversé, reversé.

Virahadra Non d'un grand guerrier.

Vritti Façon d'être, état.

Vrksa Arbre.

Yana Ascendant.

Yoga Mot qui a pour racine *Yuj*, signifiant "unir",
"concentrer l'attention sur". L'un des six
systèmes de la philosophie indienne réunis
par le sage Patanjali. Le principal but du
yoga est d'enseigner les moyens grâce
auxquels l'âme humaine peut s'unir
complètement avec l'Esprit suprême.

Yoga-sutra Traité classique de Patanjali traitant
du yoga.

Index

Index

Remerciements

Dédicace

Développer la capacité d'être dans le moment présent est en soi une récompense. Pour moi, la pratique du yoga est liée au rappel de qui je suis. Une autre récompense immédiate vient de mes élèves, lorsque je vois un éclair de compréhension traverser leur visage durant un cours et je me rends compte qu'ils l'ont juste "éprouvé". Je les en remercie.

J'ai eu la chance de profiter de l'enseignement de plusieurs merveilleux maîtres. Mes remerciements particuliers à ces personnes pour leur aide.

Merci à Simon Borg Olivier, exemple vivant d'un état élevé de *prana*, qui m'inspire par son savoir, sa maîtrise, sa créativité et son amour de toutes les *asanas*.

Le mélange de centrage du corps et le bouddhisme de Julie Henderson m'a permis de bien comprendre le sentiment de grande dimension intérieure.

Merci à Stephen Cottee pour m'avoir rappelé "de ne pas oublier de me souvenir". En m'enseignant la nature du recentrage, ses méditations ont amélioré grandement ma vie.

Et merci à Michael Popplewell pour son amitié durant toute ma vie d'adulte. Il applique sa combinaison spéciale d'esprit pratique et de profonde sagesse spirituelle d'une façon que peu arrivent à égaler.